JN033541

象の鼻から
言語学

主語・目的語カメレオン説

牧 秀樹 [著]

開拓社

まえがき

　言語学者の三上章氏は、1960年に『象は鼻が長い―日本語文法入門』を出版し、日本語の文法において「主語」という用語を廃止することを提案しました。一方、2021年現在、日本の義務教育においては、小学2年の国語の教科書より、「主語」について学びます。「主語」って、そもそも、何か問題でも？ そこで、本書では、三上氏の「象の鼻」から言語学を始め、「主語」の正体を調べてみようと思います。また、同時に、「目的語」の正体についても調べてみたいと思います。というのも、国語の教科書には、「目的語」が存在しないからです。さて、「象の鼻」から言語学を始めてみた結果、わかってきたことは、日本語の主語も目的語も、「カメレオン」だったということです。ちょと何言ってるかわからないという方にヒントです。

　　　　カメレオンは、周囲の色に応じて体の色を変える。

　　　　　　　　　（森岡ほか (1994, p. 330, 著者による微妙な変更)）

　本書では、まずは、三上 (1960) の「「主語」という用語不要論」を概観し、「主語」が日本語の言語学において、いったいどんな問題を引き起こしているのか確認したいと思います。専門的になりすぎないように、本書では、小学校、中学校、時には、高校の教科書を引っ張り出して来て、その内容をしっかり復習していきます。その際、国語だけではなく、英語の教科書も見ていきます。

　そうやって、主語とは、そして、目的語とは何かについて調査していくうちに、日本の国語の教科書と英語の教科書の内容が、大変おもしろい問題を提起してくれることに気付きます。さらにおもしろいことに、その問題は、主語・目的語を超えて、形容詞・副詞の問題にも行き着きます。言ってみれば、本書は、「象の鼻」から言語学を始めるんですが、最終的

には、これまで自分が使ってきた教科書の中身の「本当の秘密」を知ることになるようにデザインされています。

「あんなにとてつもない秘密が隠されていたのに、よく義務教育を終えることができたな」と胸をなでおろす方がいるかもしれません。私もその一人です。

本書は、いったい誰に向いているんでしょうか？　まずは、「象の鼻」がなぜ言語学の話題になるのか、見当もつかないという方に。一歩間違うと、言語学の虜（とりこ）になってしまうかもしれません。そして、現在、国語と英語の教科書を使っている方に。学生でも先生でも。一歩間違うと、将来、教科書を書いてみたいと思うようになってしまうかもしれません。

本書は、前著『誰でも言語学』・『これでも言語学』・『それでも言語学』の姉妹作です。気楽に楽しんでいただき、ご友人やご家族に、物知り顔で話していただければ、さいわいです。「ねえねえ、こんなの知ってる？」

この本を書くにあたって、以下の皆様からいろいろ助けていただきました。心より、感謝します。

まずは、執筆にあたって示唆をくださった方々・言語データを提供してくださった方々。阿部潤氏、Richard Albert 氏、Ayibota 氏、バイマーヤンジン氏、包麗娜氏、Hasan Basri 氏、Amanullah Bhutto 氏、ドルジェッツォ氏、ゴンボジャ氏、Gilles Guerrin 氏、和丽昆氏、靳暁雨氏、葛西宏信氏、İsa Kerem 氏、Jeong-Seok Kim 氏、金銀姫氏、Lee Wah Lim 氏、Nazrul Anuar Nayan 氏、马雯氏、Mijiti Maihemuti 氏、向井貴彦氏、Sikder Monoare Murshed 氏、前田雅子氏、中村真子氏、Dónall P. Ó Baoill 氏、彭子桐氏、邱暁石氏、Fereshteh Ghiami Shomami 氏、Sandra Stjepanovic 氏、外崎淑子氏、内堀朝子氏、Alexandra von Fragstein 氏、Harald von Fragstein 氏、王少鵁氏、王碩氏、呉佩之氏、呉文亮氏、谢雨晗氏、和佐田裕昭氏、姚夏蔭氏、姚雲倩氏。

本書に出てくるイラストはすべて、「かわいいフリー素材集いらすとや」

(https://www.irasutoya.com/) からです。運営者のみふねたかし氏に感謝します。一つの制作物につき 20 点（重複はまとめて 1 点）まで商用利用を許可してくださっていることに。

　最後に、私の授業に参加してくれた学生のみんな、そして、私の研究室に所属している学生のみんな。

目　次

1章　日本語の「象は鼻が長い」

言いたいこと：三上章氏の主張の最短要約

　　三上章氏（1903–1971）（以下、敬称略）
は、1960 年に『象は鼻が長い——日本語文法
入門』を出版しました（三上 (1960)）。三上
(1960) の最大の主張は、日本語文法を記述
する上では、「主語」という用語を使わない
ことが好ましいということです。一般的に

は、三上の主な主張は、「主語廃止論」と言われますが、庵 (2003, p. 73)
が指摘しているように、「主語」という用語を廃止することが、「主語廃止
論」の本質的目的であるように感じられます。そこで本書では、三上の
「主語廃止論」を「「主語」という用語の廃止論」と言い換えたいと思いま
す。（三上は、「「主語」という用語の廃止論」を主な主張とする著作以外
にも、日本語の文法全般に関して、大量の著作があります（三上 (1953,
1963a, 1963b, 1963c, 1970, 1972a, 1972b, 2002) など）。）
　　「「主語」という用語の廃止論」の起源は、次の二つの例と言っても言い
過ぎではないと思います。

　　(1)　象の鼻は、長い。　　　　　　　　　　　　　　（三上 (1960, p. 16)）

(2)　象の鼻が、長いこと

（三上（1960, p. 16, 著者による微妙な変更））

三上（1960）にとっては、(1) の「は」と、(2) の「が」は、決定的に異なる役割があります。「は」は、(1) の文の中で、「話題」（三上（1960）では、「題目」と言われていますが、わかりやすさのために、以後、本書では「話題」と言います。）という役割があり、「「象の鼻」という話題に関して言えば」、それは、長いという意味を持っている一方、(2) の「象の鼻が」は、まったく、その文（「こと」の左側に現れる要素全体）において、話題というような役割を果たしていないということです。

　ここで、三上（1960, p. 19）は、おおよそ以下のようなことを述べています。

(3)　西洋文法を無批判に輸入した先学たちは、このような「X は」と「X が」とをいっしょに扱い、これらに「主語」という用語を与えてしまった。

三上にとっては、「話題」を表すのは、「X は」だけであるので、それを「X が」と同様に「主語」と呼ぶのは、混乱を招くだけであると見えました。そこで、いっそのこと、「主語」という用語を廃止し、文は、「話題」と、「述語」を含む残りの部分から成っていると主張したかったのです。これが「「主語」という用語の廃止論」の最も簡単な説明です。

　それでは、「「主語」という用語の廃止論」においては、「X は」は、話題となりますが、「X が」は、いったい何と呼べばいいのでしょうか？それを考える前に、「X を」と「X に」の例も見てみましょう。三上にとっては、「X は」は、「X が」だけでなく、「X を」や「X に」さえ「代行」しています。(4) と (5) を、また、(6) と (7) を比べてください。

(4)　父がこの本を買ってくれたこと　　　　　（三上（1960, p. 9））

(5)　この本は、父が買ってくれた。

　　　　　　　　　　　　（三上（1960, p. 9, 著者による微妙な変更））

(6)　日本に温泉が多いこと　　　　　　　　（三上（1960, 12））

(7)　日本は、温泉が多い。　　　　　　　　（三上（1960, p. 9））

(5) の「この本は」は、もともと (4) では「この本を」でしたが、文頭に置かれる際に、「を」を「は」に変えることで、この文全体の、話題を示しています。(7) の「日本は」は、もともと (6) では「日本に」でしたが、「に」を「は」に変えることで、この文全体の、話題を示しています。

　これらを踏まえて、「X は」が話題を示すなら、「X が・を・に」は、それぞれ同じ仲間で、話題を示さない要素であるということになります。この同じ仲間という性質から、これらに、話題とは異なる種類の名前を与えることになります。三上（1963）に見られる二つの名前の例を以下に示します。

(8)　補語仮説
　　　「X が・を・に」は、それぞれ、それが生じる文の中の述語の補
　　　語である。　　　　　　（三上（1963c, p. 164, 著者による変更））

(9)　格仮説
　　　「X が・を・に」は、それぞれ、主格、対格、与格である。
　　　　　　　　　　　　（三上（1963c, p. 171, 著者による変更））

(8) における「補語」は、単なる要素と同じことです。例えば、(10) における文であれば、「X が・を・に」は、すべて述語（動詞）「送った」の補語、つまり、要素です。

(10)　イチローが、翔平にバットを送った。

三上（1963）の (8) においては、三つの名詞、「イチロー」、「翔平」、

「バット」が同列にあり、それぞれが動詞「送った」の一補語となっています。三上 (1963) の (9) においては、三つの名詞＋格助詞、「イチロー＋が」、「翔平＋に」、「バット＋を」が同列にあり、それらが、それぞれ、主格、与格、対格と呼ばれるということです。

　それでは、(11) の例を使って、「「主語」という用語の廃止論」をまとめてみましょう。

　(11)　象は、鼻が長い。　　　　　　　　　　　　　(三上 (1960, p. 9))

(11) において、「象は」は、話題、「鼻が」は、補語か、あるいは、主格、「長い」は、述語（形容詞）です。

　この主張には、2 点、疑問点があります。1 点目は、(8) の補語仮説においては、日本語の文には、話題が必要な場合は、話題があり、それ以外の要素は、みな、述語の「補語」として、均一的な性質を持っているはずなので、これまで主語と言われていたものが、そうでないものと同様、補語と呼ばれ、万が一区別が必要な時に、明確に区別できなくなる可能性があること。2 点目は、(9) の格仮説においては、日本語の文には、話題が必要な場合は、話題があり、その話題は、文における役割を示し、それ以外の要素は、格というタイプに分けられるが、これまで主語と言われていたものは、主格、対格、与格のどれに当たるのか、あるいは、特定のどれか一つなのか、さらにはまた、これらのうちのどれでもないのかという問題が生じること。これらの問題に関しては、3 章以降で取り扱っていきます。

　その前に、次の章では、(11) のような構造が、日本語に特徴的な性質を示しているかどうか調査します。具体的には、(11) の構造が、世界の他の言語において、どのように表現されるか観察し、それが、日本語に特徴的な性質であるかどうか見ていきます。

2章 世界の言語の「象は鼻が長い」

言いたいこと：**そんなにあるの？**

2.1 モンゴル語

モンゴル語は、モンゴル諸語の一つで、モ
ンゴル国や中国の内モンゴル自治区で話され
ています。モンゴル語には、大きく、三つの
方言があり、それらは、ハルハ方言、チャハ
ル方言、ホルチン方言です。ハルハ方言は、
主にモンゴル国で話され、チャハル方言は、

主に中国の内モンゴル自治区で話され、ホルチン方言は、主に中国の内モ
ンゴル東北部で話されています。本章のモンゴル語の例は、ホルチン方言
母語話者で、黔南民族師範学院の包麗娜氏に提供していただきました。

以下に見るように、モンゴル語においても、日本語同様、「象は鼻が長
い」と言えます。

(1)　Jagan-bol qamar-ni　　　urtu.
　　　象-は　　　鼻-所有代名詞　長い
　　　‘象は、その鼻が長い。’

モンゴル語では、日本語の「が」にあたる助詞がありません。したがって、
(1) では、「象は、鼻長い。」のようになっていますが、-bol は、日本語の

「は」と同様に、話題を示します。(1) でおもしろいのは、qamar「鼻」の後ろに、所有代名詞 -ni が付いていることです。これは、「鼻」は、「象」が所有していることを意味しています。ですから、訳に見られるように、「象は、「その」鼻が長い。」という意味になります。また、(2) で見るように、所有代名詞 -ni がない文も可能ですが、(1) の方が、より普通に言われているということです。

(2) Jagan-bol qamar urtu.
象-は　　鼻　　長い
'象は、鼻が長い。'

もちろん、モンゴル語においては、(3) も (4) も正しい文で、この場合は、どちらも普通に言われています。

(3) Jagan-u qamar-bol urtu.
象-の　　鼻-は　　長い
'象の鼻は長い。'

(4) Jagan-u qamar-ni-bol　　urtu.
象-の　　鼻-所有代名詞-は 長い
'象のその鼻は長い。'

2.2　朝鮮語・韓国語

続いて、朝鮮語・韓国語（以下、引用で使用されている場合を除いて、韓国語と言います）を見てみましょう。文部科学省検定済教科書高等学校地理歴史科用の山川出版から出版されている木村ほか (2020, p. 13)『改訂版詳説世界史 B』においては、「日本語と朝鮮語の帰属については定説がない。」と記述されています。本章の韓国語の例は、すべて、母語話者で、成都中医薬大学・外国語学院の金銀姫氏に提供していただきました。

以下に見るように、韓国語においても、日本語同様、「象は鼻が長い」と言えます。モンゴル語以上に、日本語そっくりです。

(5) Kokkiri-nun ko-ka kilta.
　　象-は　　　　鼻-が　長い
　　‘象は、鼻が長い。’

韓国語では、-nun は、日本語の「は」と同様に、話題を示します。さらに、日本語の「が」にあたる助詞 -ka があります。したがって、(5) の構造は、日本語とまったく同じです。

同様に、(6) も正しい韓国語の例です。

(6) Kokkiri-uy ko-nun kilta.
　　象-の　　　　鼻-は　長い
　　‘象の鼻は長い。’

日本語とまったく同じです。

2.3　満州語

　満州語は、ツングース諸語の一つです。中国東北部の黒竜江省で話されていました。現在、満州語を単一の母語とする話者は、存在していません。しかしながら、100 人ほどは、満州語と中国語のバイリンガル話者（二つの言語を母語のように話す人々）で、1,000 人ほどは、バイリンガル話者ではないものの、満州語を読み、書き、話し、また、通訳することができます。本章の満州語の例は、すべて、その 1,000 人のうちの一人である王碩氏に提供していただきました。王碩氏は、現在、河北民族師范学院にて満州語を教えていらっしゃいます。

　以下に見るように、満州語においても、日本語同様、「象は鼻が長い」と言えます。

8

(7) Sulfa-oqi oforo golmin.

象-は　　鼻　　長い

‘象は、鼻が長い。’

満州語では、-oqi は、日本語の「は」に相当し、話題を示します。ただし、モンゴル語同様、日本語の「が」にあたる助詞がありません。したがって、(7) では、「象は、鼻長い。」のようになっています。

　同様に、(8) も言うことができます。

(8) Sulfa-i oforo golmin.

象-の　鼻　　長い

‘象の鼻が長い。’

2.4　チベット語

　チベット語は、シナ・チベット語族のチベット・ビルマ語派チベット諸語に属し、中国のチベット自治区、甘粛省、青海省、四川省、インド北部とパキスタン北東部に広がるカシミール地方、ネパール、ブータン等で話されています。チベット語には、大きく、三つの方言があり、それらは、ラサ方言を含むウーツァン方言、カム方言、アムド方言です。本章のチベット語の例は、アムド方言母語話者のドルジェッツォ氏、ゴンボジャ氏、バイマー ヤンジン氏に提供していただきました。

　以下に見るように、チベット語においても、日本語同様、「象は鼻が長い」と言えます。

(9) Gilna cheny-ni snya ring.

象-は　　　　　鼻　長い

‘象は、鼻が長い。’

チベット語では、-ni は、日本語の「は」に相当し、話題を示します。た

だし、述語が他動詞（一般的に、「を」を取る動詞）でなければ、日本語の「が」に当たる助詞が現れません。したがって、(9) では、「象は、鼻長い。」のようになっています。

同様に、(10) も言うことができます。

(10)　Gilna cheny-gyi snya ring.
　　　象-の　　　　鼻　　長い
　　　'象の鼻が長い。'

2.5　ビジ語 (畢基語)

ビジ語 (畢基語) は、チベット・ビルマ語派に属し、主に湖南省で話されています。本章のビジ語の例は、すべて、彭子桐氏に提供していただきました。

以下に見るように、ビジ語においても、日本語同様、「象は鼻が長い」と言えます。

(11)　Gyaň-mé snîkyi rêpa lé.
　　　象-は　　鼻　　長い　です
　　　'象は、鼻が長い。'

ビジ語では、-mé は、日本語の「は」に相当し、話題を示します。ただし、チベット語同様、述語が他動詞でなければ、日本語の「が」に当たる助詞が現れません。したがって、(11) では、「象は、鼻長い。」のようになっています。

同様に、(12) も言うことができます。実際には、(11) より、(12) の方がより普通の言い方です。

(12)　Gyaň-gé snîkyi-mé rêpa lé.
　　　象-の　　鼻-は　　　長い　です

'象の鼻は長い。'

2.6 ナシ語（納西語）

　ナシ語（納西語）は、チベット・ビルマ語族に属し、中国の雲南省、四川省、チベット自治区などで話されています。ナシ族はトンパ文字（東巴文字）という象形文字を持っています。ただし、トンパ文字は、宗教的に使用されますが、日常生活では使用されていません。本章のナシ語の例は、すべて、雲南民族大学の和丽昆氏に提供していただきました。

　以下に見るように、ナシ語においても、日本語同様、「象は鼻が長い」と言えます。

(13)　Coq-tee nilmerq sherq.
　　　象-は　　鼻　　　長い
　　　'象は、鼻が長い。'

ナシ語では、-tee は、日本語の「は」に相当し、話題を示します。ただし、ビジ語同様、述語が他動詞でなければ、日本語の「が」に当たる助詞が現れません。したがって、(13) では、「象は、鼻長い。」のようになっています。

　同様に、(14) も言うことができます。

(14)　Coq-gge nilmerq sherq.
　　　象-の　　鼻　　　長い
　　　'象の鼻が長い。'

2.7 長崎方言

　日本語長崎方言は、日本語東京方言と少し異なる性質を持っているの

で、本章で紹介したいと思います。本章の長崎方言の例は、すべて、前田
雅子氏に提供していただきました。

　以下に見るように、長崎方言においても、東京方言同様、「象は鼻が長
い」と言えます。

　（15）　象は、鼻が長か。

（15）は、述語「長か」が「長い」であること以外は、東京方言と同じです。
ところが、長崎方言では、（16）も普通に言えます。

　（16）　象は、鼻の長か。

「鼻が」の代わりに、「鼻の」でも、全く問題ありません。東京方言では、
このような文は、（17）と（18）の対比でわかるように、全く正しくあり
ません。

　（17）　象は、鼻が長い。

　（18）＊象は、鼻の長い。

以下では、（17）と（18）のような一か所だけ異なる二つの例が出てきて、
何かを比べようとしている時、その二つの例のペアーを、ミニマル・ペ
アー（最小組）と呼び、そのミニマル・ペアーを見た結果、文の正しさ・
おかしさに、「差」があると感じられたら、おかしいと感じられる方に星
印（＊）を付けます。そして、おかしいと感じられる方の文を、非文と言
うこととします。

　このいわゆる「主語」を表す長崎方言の「の」の分布に関しては、牧
（2019）の5章をご覧ください。

　同様に、長崎方言では、（19）も言うことができます。

　（19）　象の鼻は、長か。

2.8 ウイグル語

ウイグル語は、テュルク諸語に分類されます。ウイグル語は、中国の新疆ウイグル自治区、カザフスタン、キルギスタン、ウズベキスタン、アフガニスタン、パキスタン、トルコで話されています。本章のウイグル語の例は、すべて、Mijiti Maihemuti 氏に提供していただきました。

以下の例で明らかなように、ウイグル語には、話題の「は」-bolsa が存在します。

(20) Polat-bolsa [Adil   Yultuz-ni   mahtidi dep] oylidi.
ポラット-は [アディル ユルトゥズ-を 褒めた と] 思った
'ポラットは、アディルがユルトゥズを褒めたと思った。'

(21) [Tünügün Polat   kitab-ni birip turghan] adem-bolsa Adil.
[昨日   ポラット 本-を   貸した]   人-は   アディル
'昨日ポラットが本を貸した人は、アディルです。'

ところが、以下に見るように、ウイグル語においては、日本語と異なり、「象は鼻が長い」と言えません。

(22) *Pil-bolsa hartum-i   uzun.
象-は   鼻-所有代名詞 長い
'象は、鼻が長い。'

(23) Pil-ning hartum-i   uzun.
象-の   鼻-所有代名詞 長い
'象の鼻が長い。'

ウイグル語には、日本語の「が」にあたる助詞がありません。したがって、(23) では、「象の鼻長い。」のようになっています。

2.9 カザフ語

　カザフ語は、テュルク諸語に分類されます。カザフ語は、カザフスタンの国語で、カザフスタンのほかに、中国の新疆ウイグル自治区、モンゴル西部、ロシアでも話されています。本章のカザフ語の例は、すべて、Ayibota 氏に提供していただきました。

　カザフ語には、ウイグル語と違って、話題の「は」を示す助詞が存在しません。また、いわゆる「主語」の「が」を示す助詞も存在しません。まずは、正しい文から見てみましょう。

(24)　Pil-ding murn-i　　　uzin
　　　象-の　　鼻-所有代名詞 長い
　　　'象の鼻が長い。'

(24) は、カザフ語で普通に言う文です。

　では、カザフ語で、「象は鼻が長い」に相当する文が言えるかどうか確認するために、次のような仮定をしてみましょう。カザフ語には、いわゆる「主語」を示す「が」に相当する助詞がありません。しかしながら、いわゆる「主語」を示す「が」に相当する助詞は存在しているが、たまたま音声がないだけだと考えることもできます。これと同じことが、話題の「は」に相当する助詞にも当てはまると考えてみましょう。つまり、カザフ語には、話題の「は」に相当する助詞は存在するが、たまたま音声がないだけであると仮定するということです。こう仮定して、(25) を見てみましょう。

(25) *Pil murn-i　　　uzin.
　　　象　鼻-所有代名詞 長い
　　　'象は、鼻が長い。'

文頭の pil「象」は、「象は」を意味していると考えてください。それでも、

この文は、カザフ語では、正しい文ではありません。したがって、カザフ語では、「象は鼻が長い」は、言えないということになります。

2.10　中国語

　中国語は、シナ・チベット語族に属する言語で、中華人民共和国（中国）・中華民国（台湾）・シンガポール共和国の公用語です。本章の中国語の例は、中国語母語話者の呉文亮氏・王少鵑氏・姚夏蔭氏によるものです。中国語には、カザフ語と同様に、話題の「は」を示す助詞が存在しません。また、いわゆる「主語」の「が」を示す助詞も存在しません。

　では、中国語で、「象は鼻が長い」に相当する文が言えるかどうか見てみましょう。最初に、（26）から始めます。

　　（26）　大象的　　鼻子　　很长．
　　　　　　象の　　　鼻　　　とても長い
　　　　　　'象の鼻が（とても）長い。'

中国語では、述語となる形容詞が単独で現れると、文が少し不安定になることから、（26）では、很「とても」を長「長い」の前に置いています。ただし、「とても」の意味は、強調されていません。（26）の文は、「象と熊、どちらの鼻が長い？」という質問に対する答えとして、完璧な文です。一方、（26）から「的」を取ると、（27）のようになります。

　　（27）　大象　　鼻子　　很长．
　　　　　　象　　　鼻　　　とても長い
　　　　　　'象は、鼻が（とても）長い。'

（27）の文は、母語話者によって判断が分かれますが、人によっては、（27）の文は、「象に関して言うと、どの部位が長い？」という質問に対する答えとして、可能な文です。（27）が可能である母語話者にとっては、

中国語には、音声をもった話題の「は」に相当する助詞は存在しませんが、まるで、見えない「は」が存在しているようです。張（2001）も、中国語においては、(26) の構造が (27) の構造より好まれると述べていますが、(27) において、「大象」が話題の意味を持ちうると述べています。

　中国語においては、話題を示す要素に音声がないことから、慎重な調査が今後も必要ですが、本書では、ひとまず、中国語においても、音声をもった話題の「は」に相当する助詞は存在しないものの、文頭にある要素が、話題の「は」の役割を持つ可能性があるとしておきます。

2.11　ウルドゥ語

　ウルドゥ語は、パキスタンの国語で、インド・ヨーロッパ語族に分類される言語です。インド・ヨーロッパ語族の中のインド・イラン語派に属しています。本章のウルドゥ語の例は、すべて、ウルドゥ語母語話者でパキスタンの首都イスラマバードにある Islamabad College for Boys G-6/3 の Amanullah Bhutt 氏に提供していただきました。

　ウルドゥ語には、話題の「は」を示す助詞が存在しません。ですから、以下で見るように、「象は鼻が長い」と言うことはできません。

(28)　Hathi-ki soond lambi hoti hai.
　　　象-の　　鼻　　長い　だ
　　　'象の鼻が長い。'

(29)　Hathi-ko lambi soond hoti hai.
　　　象-に　　長い　鼻　　ある
　　　'象に長い鼻がある。'

(28) は、「象の鼻が長い」のタイプの構造です。これは、他の言語でも普通に見られるものです。しかしながら、(29) は、大変おもしろい構造を

持っています。「象は・象が・象の」の代わりに、「象に」という要素が現れています。これは、まさに日本語の (30) と同じ構造です。

(30)　象に長い鼻がある。

いわば、存在を表す文です。「象は鼻が長い」を調べていたら、日本語の存在文とウルドゥ語の存在文に共通点があることがわかりました。ウルドゥ語は、インド・ヨーロッパ語で、日本語は、木村ほか (2020, p. 13) によれば、帰属不明言語であるにもかかわらず。

2.12　ベンガル語

　ベンガル語は、バングラデシュの国語で、ウルドゥ語とともに、インド・ヨーロッパ語族に分類される言語です。インド・ヨーロッパ語族の中のインド・イラン語派に属しています。本章のベンガル語の例は、すべて、ベンガル語母語話者で、ダッカ大学言語学部の Sikder Monoare Murshed 氏に提供していただきました。

　ベンガル語にも、話題の「は」を示す助詞が存在しません。ですから、以下で見るように、「象は鼻が長い」と言うことはできません。

(31)　Hati-r sur lomba.
　　　象-の　鼻　長い
　　　‘象の鼻が長い。’

(32)　Hati-r lomba sur ache.
　　　象-の　長い　鼻　ある
　　　‘象の長い鼻がある。’

(31) は、「象の鼻が長い」のタイプの構造です。これは、他の言語でも普通に見られるものです。しかしながら、(32) は、大変おもしろい構造を

持っています。「象の長い鼻が存在する」という構造です。日本語では、象を見た時に、このような言い方はしません。「象は鼻が長い」を調査していたら、また、おもしろい構造にたどり着きました。

2.13　トルコ語

　トルコ語は、テュルク諸語のオグズ語群に属する言語で、トルコ共和国の公用語です。本章のトルコ語の例は、すべて、トルコ語母語話者の İsa Kerem 氏に提供していただきました。

　トルコ語にも、話題の「は」を示す助詞が存在しません。ですから、以下で見るように、「象は鼻が長い」と言うことはできません。

(33)　Fil-ler-in　　hortum-ları uzun-ø-dur.
　　　　象‒複数‒の　鼻‒複数　　　長い‒だ‒確定
　　　　'象の鼻が長い。'

(34)　Fil-ler-in　　uzun hortum-ları var-dır.
　　　　象‒複数‒の　長い　鼻‒複数　　　ある‒確定
　　　　'象の長い鼻がある。'

(33) は、「象の鼻が長い」のタイプの構造です。これは、他の言語でも普通に見られるものです。おもしろいことに、(34) は、ベンガル語の (32) と同じ構造を持っています。「象の長い鼻が存在する」という構造です。「象は鼻が長い」を調査していたら、ベンガル語とトルコ語の構造に共通点があることがわかりました。ベンガル語は、インド・ヨーロッパ語で、トルコ語は、テュルク諸語という異なる系統に属しているにもかかわらず。

2.14 ペルシア語

ペルシア語は、インド・ヨーロッパ語族のインド・イラン語派に属する言語で、おもにイラン、タジキスタン、アフガニスタンで話されています。本章のペルシア語の例は、すべて、ペルシア語母語話者の Fereshteh Ghiami Shomami 氏に提供していただきました。

ペルシア語にも、話題の「は」を示す助詞が存在しません。ですから、以下で見るように、「象は鼻が長い」と言うことはできません。

(35)　Khortom (yek) fil kheili 　　 deraz ast.
　　　鼻　　（一）象 あまりにも 長い　だ
　　　'象の鼻が長い。'

(36)　Fil khortom derazi darad.
　　　象 鼻　　　 長い 持つ
　　　'象（という種）は、長い鼻を持っている。'

(35) は、「象の鼻が長い」のタイプの構造です。これは、他の言語でも普通に見られるものです。ただし、「象の鼻」と言う場合には、「鼻-象」のように、修飾する語「象」が、修飾される語「鼻」の後ろに置かれます。(36) は、これまでの言語においてとは全く異なり、darad「持つ」という所有の動詞を使っています。また、(35) と同様に、「長い鼻」と言う場合には、「鼻-長い」のように、修飾する語「長い」が、修飾される語「鼻」の後ろに置かれます。

ペルシア語は、日本語と同様、SOV（主語・目的語・動詞）言語ですが、次の節で見るように、英語と同様に、「象は鼻が長い」という意味を表したい時は、「持つ」という動詞を使います。（主語・目的語・動詞の「目的語」については、4章と5章で取り扱います。）

2.15 英語

　英語は、インド・ヨーロッパ語族のゲルマン語派の西ゲルマン語群に属しています。本章の英語の例は、すべて、英語母語話者の Richard Albert 氏に提供していただきました。

　英語にも、話題の「は」を示す助詞が存在しません。ですから、以下で見るように、「象は鼻が長い」と言うことはできません。

(37)　The　trunk　of　an　elephant　is　long.
　　　その　鼻　　の　一　象　　　だ　長い
　　　'象の鼻が長い。'

(38)　Elephants　have　　　　long trunks.
　　　象.複数　　持っている　長い　鼻.複数
　　　'象は、長い鼻を持っている。'

(39)　The　elephant　has　　　　a　long　trunk.
　　　その　象　　　持っている　一　長い　鼻
　　　'象という種は、長い鼻を持っている。'

(37) は、「象の鼻が長い」のタイプの構造です。これは、他の言語でも普通に見られるものです。おもしろいことに、「象は鼻が長い」と言う場合には、象が複数でも単数でもよく、(38) と (39) どちらも可能であるということです。(39) の場合には、「象という種」というニュアンスが出てきます。そして、(38) も (39) も、have/has「持っている」という語を使っています。これは、ペルシア語と同じです。

2.16 ドイツ語

　ドイツ語は、インド・ヨーロッパ語族・ゲルマン語派の西ゲルマン語群

に属する言語です。英語とまったく同じで、大変近い親戚です。ですから、英語とほとんど同じ構造を持っていると予測でき、実際、以下で見るように、その通りです。本章のドイツ語の例は、すべて、ドイツ語母語話者の Alexandra von Fragstein 氏と Harald von Fragstein 氏に提供していただきました。

英語同様、ドイツ語にも、話題の「は」を示す助詞が存在しません。ですから、以下で見るように、「象は鼻が長い」と言うことはできません。

(40) Der Rüssel des　　　Elefanten ist lang.
　　　その 鼻　　　の.その 象.単数　 だ 長い
　　　'象の鼻が長い。'

(41) Der Elefant hat　　　　　　einen langen Rüssel.
　　　その 象.単数 持っている 一　　 長い　　鼻
　　　'象は、長い鼻を持っている。'

(40) は、「象の鼻が長い」のタイプの構造です。これは、他の言語でも普通に見られるものです。「象は鼻が長い」と言う場合には、(41) のように、hat「持っている」という語を使っています。ペルシア語や英語と同じです。

2.17　フランス語

フランス語は、インド・ヨーロッパ語族のイタリック語派のロマンス諸語に属する言語です。英語との違いは、英語がゲルマン語派に属しているのに対し、フランス語がイタリック語派に属している点です。ただ、どちらもインド・ヨーロッパ語族であるので、同様の傾向を示すのではないかと予想されます。本章のフランス語の例は、すべて、フランス語母語話者の Gilles Guerrin 氏に提供していただきました。

　英語同様、フランス語にも、話題の「は」を示す助詞が存在しません。ですから、以下で見るように、「象は鼻が長い」と言うことはできません。

(42)　La　trompe des éléphants est trés　　longue.
　　　その 鼻　　　の 象.複数　だ とても 長い
　　　'象の鼻が長い。'

(43)　Les　éléphants ont　　　　une trompe trés　　longue.
　　　その 象.複数　持っている 一 鼻　　とても 長い
　　　'象は、長い鼻を持っている。'

2.18　セルビア・クロアチア語

　セルビア・クロアチア語は、インド・ヨーロッパ語族、スラブ語派、南スラブ語群に属し、セルビア、クロアチア、ボスニア・ヘルツェゴビナ、モンテネグロなどで話されています。本章のセルビア・クロアチア語の例は、すべて、セルビア・クロアチア語母語話者の Sandra Stjepanovic 氏に提供していただきました。

　フランス語同様、セルビア・クロアチア語にも、話題の「は」を示す助詞が存在しません。ですから、以下で見るように、「象は鼻が長い」と言うことはできません。

(44)　Slonove　surle　su　　duge.
　　　象.複数.の 鼻.複数 だ.複数 長い.複数
　　　'象の鼻が長い。'

(45)　Slonova　surla　je　　duga.
　　　象.単数.の 鼻.単数 だ.単数 長い.単数
　　　'象の鼻が長い。'

(46)　Slonovi imaju　　　　 duge　　　surle.
　　　象.複数　持っている.複数　長い.複数　鼻.複数
　　　'象は、長い鼻を持っている。'

2.19　アイルランド語

　アイルランド語は、インド・ヨーロッパ語族ケルト語派に属する言語です。他のインド・ヨーロッパ語と異なる点が一点あります。それは、アイルランド語の語順は、VSO（動詞-主語-目的語）で、英語の語順は、SVO（主語-動詞-目的語）であることです。

(47)　Mhol　Seán　　Máire.　　(VSO) アイルランド語
　　　褒めた　ショーン　モーィレ
　　　'ショーンがモーィレを褒めた。'

(48)　Takeshi praised Kiyoshi.　(SVO) 英語
　　　たけし　褒めた　きよし
　　　'たけしがきよしを褒めた。'

本章のアイルランド語の例は、すべて、アイルランド語母語話者のDónall P. Ó Baoill 氏に提供していただきました。

　セルビア・クロアチア語同様、アイルランド語にも、話題の「は」を示す助詞が存在しません。ですから、以下で見るように、「象は鼻が長い」と言うことはできません。

(49)　Tá/Bíonn trunc eilifinte fada.
　　　だ/だ　　鼻　象の　　長い
　　　'象の鼻が長い。'

(50)　Tá/Bíonn trunc fada ar eilifintí.
　　　だ/だ　　　鼻　　長い　に　象
　　　'長い鼻が象にある。'

(49) と (50) における文頭の tá は、それ以降の内容が、今、正しいということを示し、bíonn は、それ以降の内容が、いつも、正しいということを示します。さらにおもしろいことに、(50) は、ウルドゥ語の (29) のように、

(29)　Hathi-ko lambi soond hoti hai.
　　　象-に　　長い　鼻　　ある
　　　'象に長い鼻がある。'

「X に Y がある」という構造を持っています。

2.20　マレー語

　マレー語は、オーストロネシア語族、西オーストロネシア語派に属する言語です。本章のマレー語の例は、すべて、マレー語母語話者の Lee Wah Lim 氏と Nazrul Anuar Nayan 氏に提供していただきました。

　マレー語にも、話題の「は」を示す助詞が存在しません。ですから、以下で見るように、「象は鼻が長い」と言うことはできません。

(51)　Belalai gajah panjang.
　　　鼻　　象　　長い
　　　'象の鼻が長い。'

(52)　Gajah mempunyai belalai yang　　　panjang.
　　　象　　持つ　　　鼻　　関係代名詞 長い
　　　'象は、長い鼻を持っている。'

（51）は、「象の鼻が長い」のタイプの構造です。これは、他の言語でも普通に見られるものです。ただし、「象の鼻」と言う場合には、ペルシア語同様に、「鼻-象」のように、修飾する語「象」が、修飾される語「鼻」の後ろに置かれます。（52）は、「象は長い鼻を持つ」のタイプの構造です。「長い鼻」と言う場合には、「鼻-長い」のように、修飾する語「長い」が、修飾される語「鼻」の後ろに置かれます。しかも、*yang* という英語の *which* に当たるような関係代名詞が現れます。

2.21 インドネシア語

　インドネシア語は、オーストロネシア語族、マレー・ポリネシア語派、オーストロネシア語族に属する言語です。本章のインドネシア語の例は、すべて、インドネシア語母語話者の Hasan Basri 氏に提供していただきました。

　インドネシア語にも、話題の「は」を示す助詞が存在しません。ですから、以下で見るように、「象は鼻が長い」と言うことはできません。

(53)　Belalai gajah panjang.

　　　鼻　　　象　　長い

　　　'象の鼻が長い。'

(54)　Gajah mempunyai belalai panjang.

　　　象　　持つ　　　　鼻　　長い

　　　'象は、長い鼻を持っている。'

（53）は、マレー語とまったく同じです。（54）も、関係代名詞が「鼻」と「長い」の間に現れていないことを除けば、マレー語とまったく同じです。

2.22　まとめ

　まとめます。日本語のように、「象は鼻が長い」と言う言語は、世界には結構あります。モンゴル語、韓国語、満州語、チベット語、ビジ語、ナシ語です。(55) の地図で、その分布状況を見てみましょう。

(55)　「象は鼻が長い」と言う言語の場所

モンゴル語、満州語、韓国語、日本語、チベット語、畢基語、納西語

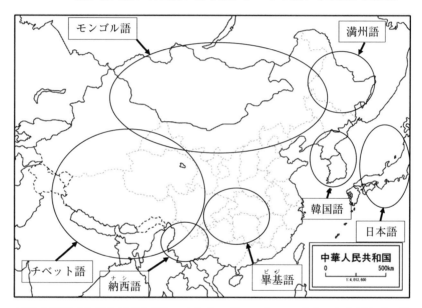

無料白地図（中華人民共和国）：三角（http://www.freemap.jp/item/asia/china.html）

　(55) から明らかなように、「象は鼻が長い」という表現は、日本語に特有の表現ではなく、東アジア地域の諸言語において使用されています。次の章では、日本語における「象は鼻が長い」に内在する問題を見ていきますが、その際、本章で見た他の言語の性質、とりわけ、モンゴル語の性質が、この問題に対する重要なヒントとなります。

3章　日本語の主語の問題

言いたいこと：**主語はカメレオン**

　1章で、日本語の文法を語る上で、「主語」
という用語は不必要であるという三上の主張
を見ました。2章では、日本語と同じように、
話題の「は」と、日本語の「が」に相当する
語を持つ言語を見ました。別の言い方をすれ
ば、文頭に、話題を表す名詞と話題を表さな
い名詞が連続して現れる言語を見ました。モンゴル語、韓国語、満州語、
チベット語、ビジ語、ナシ語です。そうなると、「主語」という用語は、
必要ではないかもしれませんが、あった方が便利かもしれません。実際、
「主語」という用語を使用しないと、1章で示された二つの方法（仮説）で、
主語に当たるものを指し示すことになるかもしれません。

(1)　補語仮説
　　　「X が・を・に」は、それぞれ、それが生じる文の中の述語の補
　　　語である。　　　　　　　　　（三上 (1963, p. 164, 著者による変更)）

(2)　格仮説
　　　「X が・を・に」は、それぞれ、主格、対格、与格である。
　　　　　　　　　　　　　　　　　（三上 (1963, p. 171, 著者による変更)）

しかし、(1) と (2) のどちらを採用しても、(1) なら、主語と言われていたものは、そうでないものと同様、補語と呼ばれる可能性があるし、(2) なら、主語と言われていたものは、主格、対格、与格のどれに当たるのか、あるいは、特定のどれか一つなのか、さらにはまた、これらのうちのどれでもないのかという問題が生じ、やはり、不便なことが起きそうです。というわけで、本章では、「主語」という概念は、必要ないかもしれないが、「主語」という用語を定義して、不便を回避するために使用したらどうかと提案したいと思います。

どんな提案をするの？　その答えが待てない方のために、先回りして、お知らせしておきます。日本語の「主語」は、カメレオンのように、色を変える癖があるということです。つまり、本質は、変わらないのに、状況によって体の表面の色を変えるから、一見わかりにくくなっているということです。より具体的に言えば、日本語の主語は、助詞「は、が、を、の、に」が付いた名詞がなりうるということです。

日本語の主語について語る前に、後の議論のわかりやすさのために、まずは、基礎知識として、4点見ておきたいと思います。1点目は、英語の「主語」の定義について。2点目は、人間言語の文の種類について。3点目は、日本語の単文の構成要素について。4点目は、現在の小学校国語教科書における「主語」の定義について。

では、1点目の英語の「主語」の定義について見てみましょう。いろいろある中でも、最も簡単に定義してある例を見ます。Chomsky (1965, p. 71) によれば、文を作り出す句構造規則 (3) が、作り上げられた文の中で、どれが主語か、どれが目的語かを自動的に決定します。(すぐ下で見るように、日本の小学校の国語の教科書には、「目的語」という用語は、出てきませんが、英語を母語とする国においては、目的語という用語を使用するので、ここでいったん「目的語」という用語を提示しておきます。)具体的には、(4) の文は、(3) の句構造規則によって、視覚的には、(5) のような構造を形成します。

(3) 句構造規則（英語）

    a. S   → NP VP

    b. VP → V NP

    c. NP → N

       S = sentence（文）

       NP = noun phrase（名詞句）

       VP = verb phrase（動詞句）

       N = noun（名詞）

       V = verb（動詞）

(4) John   saw Mary.

     ジョン 見た メアリー

     'ジョンは、メアリーを見た。'

(5)

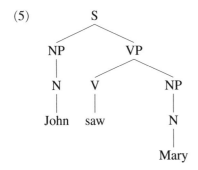

(3a) は、S（文）は、NP（名詞句）と VP（動詞句）に書き換えられる、つまりは、NP（名詞句）と VP（動詞句）からなることを意味しています。(3b) は、VP（動詞句）は、V（動詞）と NP（名詞句）からなることを意味しています。(3c) は、NP（名詞句）は、N（名詞）からなることを意味しています。さて、Chomsky (1965) によれば、主語とは、S のすぐ下にある NP のことです。また、目的語とは VP のすぐ下にある NP のことです。たったこれだけです。句構造規則によって作り出された構造を見

て、自動的に、構造上、どれが主語かどれが目的語かわかるというわけです。なぜ、S が NP と VP からなるのかという問いは、出てきません。そのように、句構造規則を定義しただけだからです。これがいいかどうかはわかりませんが、こうすることで、構造上のどの場所にあるものが、主語であるか、または、目的語であるか、曖昧性がまったく発生しないことになります。

　続いて、人間言語の文の種類について見てみましょう。以下、牧 (2019) の 2 章の一部を要約して提示します。大雑把に言うと、世界中の人間が話す言語においては、文の種類は、3 種類しかありません。そして、すべての言語が、この 3 種類の文を持っています。その 3 種類を以下に示します。

(6) a. 単文
    b. 埋め込み文
    c. 付け足し文

具体的には、それぞれの種類の文は、(7a-c) に示されます。

(7) a. イチローが翔平を褒めた。
    b. たけしは、[イチローが翔平を褒めたと] 思った。
    c. [イチローが翔平を褒めたので]、たけしは喜んだ。

まず、単文とは、(7a) に示されるように、動詞、あるいは、述語が、一つだけの文です。次に、埋め込み文とは、(7b) における […] の部分で、[…] の部分が、別の動詞に必ず必要とされ、あたかも、その動詞を含む単文に埋め込まれているようなので、埋め込み文と言います。そして、「たけしは思った」の部分を、埋め込み文と区別するために、主文と言います。最後に、付け足し文は、あってもなくてもいい文です。(7c) では、「ので」を含む […] で示した部分が、付け足し文で、理由を示す付け足し文になっています。そして、「たけしは喜んだ」の部分を、付け足し文と

区別するために、主文と言います。この部分がなく、「イチローが翔平を褒めたので」とだけ言われたら、必ず、「それで、どうしたの？」と聞かれます。ですから、「たけしは喜んだ」の部分は、絶対に必要な部分で、主文となっています。

　続いて、日本語の単文の構成要素について見てみましょう。単文を作る要素は、まるで、文の種類のように、3種類しかありません。(8) を見てください。

(8) a. 述語
　　b. 必要語
　　c. 付け足し語

一つは、述語、もう一つは、必要語、そして最後の一つは、付け足し語です。(9) を例に考えてみましょう。

(9)　たけしが　昨日　浅草で　くつを　買った。

(9) において、述語は、動詞「買った」です。では、何が必要語でしょうか？　それは、簡単なテストでわかります。そのテストの名前は、「んだってテスト」です。その文から述語以外をすべて取り除き、その述語に「んだって」を付けて聞いた時に、何かが足りないなと思ったら、それが必要語です。例えば、(9) から述語以外をすべて取り除いて、「んだって」を付けると、(10) のようになります。

(10)　[買った] んだって。

では、友人が「買ったんだって」と言うのを聞いたら、どうでしょう。「えっ、誰が？」とは、聞き返さないと思います。あるいは、「えっ、何を？」とも、聞き返さないと思います。何かが足りない気がするからです。この場合は、おそらく、「えっ、誰が、何を？」と聞き返すはずです。この、「誰が」と「何を」に相当する語が、まさに、必要語です。一方、何を

置いてでも、友人が「買ったんだって」と言うのを聞いて、「いつ？」とか「どこで？」と聞き返す人はいないはずです。となると、「昨日」と「浅草で」は、動詞「買った」の必要語ではなく、付け足し語、つまり、あってもなくてもいい語であるというわけです。以後、「んだってテスト」は、大変重要になるので、心の片隅にずっと置いておいてください。

　最後に、現在の小学校国語教科書における「主語」の定義について見ておきたいと思います。小学校2年生国語下（甲斐ほか (2017a, p. 21)）で、「主語」と「述語」について、初めて習います。主語は、文の中で「何が・何は」に当たる言葉で、述語は、その「何が・何は」に関して、「どうした」に当たる言葉です。

(11)　主語（小学校2年生国語下）　　　　　（甲斐ほか (2017a, p. 21)）
　　　主語は、文の中で「何が・何は」に当たる言葉である。

(12)　述語（小学校2年生国語下）　　　　　（甲斐ほか (2017a, p. 21)）
　　　述語は、主語の「何が・何は」に関して、「どうした」に当たる言葉である。

具体的には、(13) の例で、

(13)　朝顔が　咲いた。

「朝顔が」が主語で、「咲いた」が述語です。

　ただし、中学1年国語の教科書では、相澤ほか (2021a, p. 253) においては、(11) の「主語」の定義に当てはまらない例を提示し、混乱が生じないようにしています。

(14)　主語でない「〜が」「〜は」
　　a.　（私は）和食が　食べたい。
　　b.　（私たちは）昨日は　テニスをした。

　　　　　　　　　　　　　　　　　　　　　　（相澤ほか (2021a, p. 253)）

　続いて、小学校 3 年生国語下（甲斐ほか（2018））で、「修飾語」について、初めて習います。修飾語とは、（15）のような言葉です。

(15)　修飾語（小学校 3 年生国語下）　　（甲斐ほか（2018, pp. 26-27））
　　　　文の中で「誰に」、「何を」、「いつ」、「どこで」、「どんな」などに
　　　　当たる言葉を修飾語と言う。

具体的には、（9）の例で、

(9)　たけしが　昨日　浅草で　くつを　買った。

「昨日」、「浅草で」、「くつを」がこの文における修飾語です。このように小学 3 年生で習います。上で見た、必要語と付け足し語の観点とは、少し考え方が違います。

　おまけとして、中学 2 年生の国語（甲斐ほか（2017b, p. 240））では、自動詞と他動詞の違いを習います。

(16) a.　水がこぼれた。（自動詞）
　　　b.　水をこぼした。（他動詞）

中学 2 年国語の教科書には、（16b）は、（16a）に比べて、話し手が自分に原因があることを認める言い方になっているとあります。自動詞と他動詞の区別については、「を」が付いている語があるかどうか、あるいは、目的語があるかどうかという構造的な違いに頼っていません。もちろん、目的語という用語を一度も習っていないので、この用語を使っては、区別できません。構造的な違いではなくて、意味的な違いによって区別しているようです。

　以後の話のわかりやすさのために、自動詞と他動詞を、ひとまず、必要語の数で決めておきたいと思います。（16a）の動詞「こぼれた」は、「んだってテスト」を使えば、「こぼれたんだって」と聞けば、「何が？」と聞き返すので、一つ、必要語が要ると言えます。一方、（16b）の動詞「こぼ

した」は、「んだってテスト」を使えば、「こぼしたんだって」と聞けば、「誰が、何を？」と聞き返すので、二つ、必要語が要ると言えます。必要語が一つだけの動詞を自動詞、必要語が二つ（あるいは、それ以上）の動詞を、自動詞と区別するという意味で、現時点では、他動詞と呼んでおきます。後に、他動詞の問題については、詳しく見ていきたいと思います。

　それでは、これから、まず、「は」と関係が深そうな「話題」について、そして、多くの場合「が」と関係が深そうな「主語」について考えていきたいと思います。結論から言います。もっとも大雑把に言うと、(17) と(18) です。

(17)　話題
　　　「は」が付いた語で、単文と埋め込み文の文頭にあるものを話題と呼ぼう。

(18)　主語
　　a.　文（単文・埋め込み文・付け足し文）の中で、必要語が一つしかない時、その必要語を主語と呼ぼう。
　　b.　文（単文・埋め込み文・付け足し文）の中で、必要語が二つ以上ある時、その必要語に付いている助詞が、「のはテスト」によって、「が」に置き換えられる必要語を主語と呼ぼう。
　　c.　ただし、複数の必要語に「が」が付けられる場合は、述語の内容を「する」方と「される」方のうち、する方を主語と呼ぼう。

もう少し言うと、話題は、必ず「は」が付いていますが、主語は、いつも「が」が付いているというわけじゃありませんよということです。「が」には、主語を表さない、隠れ「が」があるということです。また、「のはテスト」は、後に触れますが、「のは」の前に必要語と述語を置き、かつ、その必要語に「が」を付けて、その自然さを見るテストです。

　それでは、まず、話題の「は」について詳しく見ていきます。本書では、

話題の「は」に関しては、基本的に三上（1960）の考えを維持していきます。(17) で、「は」が付いた語で、単文と埋め込み文の文頭にあるものを話題と呼ぼうと言っています。「文頭」という場所が指定されています。これが何を意味するか明らかにするために、次の4つの単文を見てみましょう。

(19)　たけしが、『新しい道徳』という本を書いた。

(20)　たけしは、『新しい道徳』という本を書いた。

(21)　『新しい道徳』という本は、たけしが、書いた。

(22)　たけしが、『新しい道徳』という本は、書いた。

(19) には、話題の「は」がありません。(20) では、その文が出てくる直前までの会話の中で、たけしについて、何かすでに話されていて、「たけしはね」という具合に、文の先頭に出てきています。(21) では、その文が出てくる直前までの会話の中で、『新しい道徳』という本について、何かすでに話されていて、「『新しい道徳』という本はね」という具合に、文の先頭に出てきています。

　それに対して、(22) は、ちょっと状況が違います。(22) では、たけしが何か本を書いたんですが、それが、他の本ではなくて、『新しい道徳』という本であると、比較して、少し訂正気味に、話されています。そう言う場合に、「『新しい道徳』という本」は、比較されていると言います。そして、比較の意味は、(22) のように、文の中に出てくることもあれば、(20) や (21) の例で、「は」を強く読めば、文頭に出てくることもあります。それに対して、話題の「は」は、主に、文頭に出てきます。話題の「は」は、もう、皆が知っている内容であるので、強く読む必要がありません。強く読めば、話題の意味がなくなり、比較の意味になってしまいます。以下では、主に、話題の「は」に注目して、それは、どこに現れるの

か、見ていきます。

　(17) は、話題は、「は」が付いた語で、単文と埋め込み文の文頭にある
ものだと述べています。すでに単文の先頭に現れる例は見たので、そうな
ると、埋め込み文の文頭には出られるが、付け足し文の文頭には出られな
いということになります。本当にそうかどうか見てみましょう。

　(23)　きよしが、『新しい道徳』という本は、たけしが書いたと思って
　　　　いる。

(23) は、(19)–(22) の単文と異なり、埋め込み文を含んでいます。そし
て、その埋め込み文の先頭に、「は」が付いた名詞が来ています。ここで、
この「は」が付いた名詞は、話題の意味があるかどうか考えてみましょう。
(23) が言われる前の会話で、「『新しい道徳』という本」について話され
ていたと考えても、それほどおかしくありません。そうすると、この「は」
が付いた名詞は、全体の文の先頭にいなくても、「は」が付くことで、埋
め込み文の中で話題となっていると言えます。

　続いて、話題の「は」が、付け足し文の先頭に現れることができるかど
うか見てみましょう。まず、(24) と (25) を見てください。

　(24)　たけしが書いた本が、今、一番おもしろい。

　(25) *たけしは書いた本が、今、一番おもしろい。

(24) の例は、全く問題なく、正しい日本語の文に聞こえます。しかし、
(24) の「たけしが」を、(25) のように、「たけしは」に変えた途端、とて
もおかしく聞こえます。ここで注意すべき点は、「たけしは書いた」は、
本を修飾する関係節であるということです。つまり、付け足し文です。
(25) が非文であるということは、話題の「は」は、付け足し文の中には
現れられないということを示しています。(25) をどう考えても、「たけ
し」が、この文の話題になっているとは、感じられません。無理やり、

「たけし」が、他の誰かと比較されているように聞こえます。

さらに、(26) と (27) の例を見てみましょう。

(26) きよしが、たけしが『新しい道徳』という本を書いたので、喜んだ。

(27) *きよしが、たけしは『新しい道徳』という本を書いたので、喜んだ。

(26) の例は、日本語として、全く問題ありません。しかし、(26) の「たけしが」を、(27) のように、「たけしは」に変えた途端、とてもおかしく聞こえます。(27) において、「たけし」が、この文の話題になっているとは、感じられません。無理やり、「たけし」が、他の誰かと比較されているように聞こえます。

これらのことから、(17) の話題に関する決め事は、正しいようです。

(17) 話題
「は」が付いた語（助詞）で、単文と埋め込み文の文頭にあるものを話題と呼ぼう。

これが正しいとすると、小学校 2 年生国語下で習う主語に関する決め事は、少し厄介なことを引き起こします。小学校 2 年生国語下では、(11) のように習うからです。

(11) 主語（小学校 2 年生国語下）
主語は、文の中で「何が・何は」に当たる言葉である。

何が厄介かは、(20) と (21) を見ると、よくわかります。

(20) たけしは、『新しい道徳』という本を書いた。

(21) 『新しい道徳』という本は、たけしが、書いた。

(20) の主語は、「たけしは」です。一方、(21) には、「は」が付いたもの
もあれば、「が」が付いたものもあり、主語は、「『新しい道徳』という本
は」かもしれないし、「たけしが」かもしれないし、あるいは、その両方
かもしれません。しかし、(20) の「『新しい道徳』という本を」は、(15)
の小学校 3 年生国語下で習う「修飾語」の決め事からすると、どうも修飾
語のようです。

(15)　修飾語（小学校 3 年生国語下）
　　　文の中で「誰に」、「何を」、「いつ」、「どこで」、「どんな」などに
　　　当たる言葉を修飾語と言う。

そうすると、(21) の「『新しい道徳』という本は」は、主語である一方、
(20) の「『新しい道徳』という本を」は、修飾語であるということになっ
てしまいます。義務教育を終えた方にとっても、これを明確に区別するこ
とは、ひょっとすると、少し荷が重いかもしれません。
　そこで、本書では、(17) と (18) を導入し、もう少しだけ、状況を明
確にできればと思います。

(17)　話題
　　　「は」が付いた語（助詞）で、主に、付け足し文以外の文頭にある
　　　ものを話題と呼ぼう。

(18)　主語
　　a.　文（単文・埋め込み文・付け足し文）の中で、必要語が一つし
　　　　かない時、その必要語を主語と呼ぼう。
　　b.　文（単文・埋め込み文・付け足し文）の中で、必要語が二つ以
　　　　上ある時、その必要語に付いている助詞が、「のはテスト」に
　　　　よって、「が」に置き換えられる必要語を主語と呼ぼう。
　　c.　ただし、複数の必要語に「が」が付けられる場合は、述語の内
　　　　容を「する」方と「される」方のうち、する方を主語と呼ぼう。

再度、(20) と (21) の例を使って見ていきたいと思います。

(20) たけしは、『新しい道徳』という本を書いた。

(21) 『新しい道徳』という本は、たけしが、書いた。

(17) によれば、文頭にある「は」は、みな、話題を示すものです。ですから、(20) では、「たけしは」、(21) では、「『新しい道徳』という本は」が、その文の話題となります。

さあ、ここからが大事です。(18) を心に、(20) と (21) を見てみましょう。ともに、述語は、「書いた」です。ここで、まず「んだってテスト」を使って、いったいどの要素がこれらの文において必要語なのか、探し出しましょう。「書いたんだって」と聞いたら、「誰が、何を？」と聞き返しますから、「たけし」という人と、「『新しい道徳』という本」が、この述語の必要語になります。そして、必要語が、一つではなく、二つありました。となると、(18b) を心に、これらの文を見る必要があります。(18b) は、必要語に付いている助詞が、「のはテスト」によって、「が」に置き換えられる必要語を主語と呼ぼうと言っています。

先に進む前に、「のはテスト」とは何かを簡単に見ておきたいと思います。例えば、(28) のような文において、

(28) 翔平が本を買った。

「翔平」が聞き手にとって、まったく知らない人であれば、ちょっと唐突な感じがします。一方、(29) のような文においては、

(29) 翔平は本を買った。

「翔平」は、(29) が話される前に、すでに、その話の中で話題となっているんだなと感じられます。すでにみんなが知っている人物だということです。そこで、(28) の「翔平」の唐突感や、(29) の「翔平」の既出感をな

るべく排除して、単純に、(28) と (29) の文の、何にも影響を受けていない状況を見るために、「のは」を使うのです。料理に例えるなら、「あく」を抜いておくという感じでしょうか。具体的には、

(30)　[翔平がその本を買った] のは、本当だ。

の [...] の部分、つまり、「のは」の前に置かれている部分は、「翔平」に関しての唐突感や既出感がほぼ感じられません。実は、この構造は、(31) のように、

(31)　[翔平がその本を買った] こと

と言う具合に、[...] の後に「こと」を付けることと同じ効果をもたらします。ただ、(31) のように、「こと」で終わる文は、ほぼ日常生活で見ないため、「こと」を使うと、人によっては、違和感を感じてしまうので、以下では、「のは」を使っていきたいと思います。これが、「のはテスト」です。「のはテスト」は、(30) のように、[...] の中に文全体が含まれていてもいいし、(32) のように、[...] の一部が、「のは」の後ろに置かれてもかまいません。

(32)　[翔平が買った] のは、その本だ。

(30) にしても、(32) にしても、[...] における「翔平が」の部分には、ほぼ唐突感や既出感がないからです。それでは、以下、この「のはテスト」を使っていきます。

　(20) と (21) の例に戻りましょう。必要語についているのは、(20) では、「は」と「を」、(21) では、「は」と「が」です。では、(20) からやってみましょう。その助詞が、「が」に置き換えられるかどうかです。まず、(20) の「は」を「が」に変えたら、どうなるでしょう？ (33) になります。

(33)　たけし が 書いたのは、『新しい道徳』という本だ。

この文は、問題なく、日本語として正しい文です。「は」が、「が」に置き換えられました。では、もう一つの方を「が」に変えてみましょう。

(34) *『新しい道徳』という本 が 書いたのは、たけしだ。

もうさっぱりだめです。「を」を「が」に変えたら、わけのわからない文になってしまいました。そうなると、(18b) は、(20) における「たけしは」が、主語であると教えてくれます。ちょっと困るなあという方もいるかもしれません。「たけしは」は、話題と言ったのに、主語でもあるの？と。はい、でも、これが正解です。「は」は、いろいろな助詞に覆いかぶさって、もともとあった助詞の機能を一瞬隠してしまいますが、その助詞も負けておらず、「は」をかぶりながらも、本来の機能を維持しているのです。

「子亀が親亀の背中に乗っていますが、親亀は、明らかに見えています。」

ですから、(20) における「たけしは」は、この文の話題であり、かつ、この文の（あるいは、この述語の）主語であるということになります。今後、この考え方を一貫して持っていきます。一つの名詞が、二つの機能を持つことがあるということです。

　続いて、(21) を見てみましょう。まず、(21) の「は」を「が」に変えたら、どうなるでしょう？ (35) になります。

(35) *『新しい道徳』という本 が 書いたのは、たけしだ。

(34) と同様、なんだか変です。「は」を「が」に変えたら、わけのわからない文になってしまいました。つまり、「は」は、「が」に置き換えられま

せんでした。では、もう一つの方を「が」に変えてみましょう。いやちょっと待ってくれと言われそうです。最初から「たけしが」の「が」ですから、変えようがありません。その場合、無理やり、「が」を「が」に変えたことにしておきたいと思います。

（36）　たけし 以 書いたのは、『新しい道徳』という本だ。

この文は、（33）と同じですから、問題なく、日本語として正しい文です。ちょっともったいぶっていますが、「が」が、「が」に置き換えられました。そうなると、（18b）は、（21）における「たけしが」が、主語であると教えてくれます。ちょっと困るなあという方はいますか？　多分いないと思います。「が」を「が」に変えることが面倒だったと思う方はいたかもしれませんが。

　今後は、こう考えてください。必要語が二つ以上あったら、その助詞を「が」に変えて、しっくりいけば、それが付いた必要語がその文の主語で、しっくりいかなければ、その文の主語ではないということです。それが、何なのかは、また後の章で話しますが、現時点では、主語か主語じゃないかの見分け方として、「のはテスト」、あるいは、「「が」置き換えテスト」が有効だと覚えておいてください。

　そして、もう一つ覚えておいて欲しいことがあります。（20）でも、（21）でも、文の中には、

（20）　たけしは、『新しい道徳』という本を書いた。

（21）　『新しい道徳』という本は、たけしが、書いた。

必ず主語があり、話題もあってもよいということです。（20）では、主語も話題も、「たけしは」です。（21）では、主語は、「たけしが」で、話題は、「『新しい道徳』という本は」です。主語と話題が重なって現れることもあれば、別々の語に現れることもあるということです。

　ここで、必要語が二つある文をさらに調査する前に、必要語が一つある文を見ておきたいと思います。(18a) の定義を思い出してください。

(18)　主語
　　　a.　文（単文・埋め込み文・付け足し文）の中で、必要語が一つしかない時、その必要語を主語と呼ぼう。

「んだってテスト」により、必要語が一つの文をまず探し出します。ある述語が、必要語を一つだけ取る場合は、もう、それで、その必要語が主語であると判断できますが、用心深い方は、さらに、「のはテスト」を使って、その必要語に付いている助詞が、「が」に置き換えられるかどうか見てもいいかもしれません。
　では、以下で、次の例を扱っていきます。

単文

(37)　きよしは、賢い。

埋め込み文

(38)　たけしは、きよしが賢いと思っている。

(39)　たけしは、きよしを賢いと思っている。

(40)　きよしは、たけしを踊らせた。

(41)　きよしは、たけしに踊らせた。

付け足し文

(42)　瀬を早み　岩にせかるる　滝川のわれても末に　逢はむとぞ思ふ
　　　　　　　　　　　　　　　　（崇徳院（1119 年-1164 年））

(43)　ラーメンのうまい店は、この店だ。

それでは、単文から始めましょう。(37) を見てください。

(37)　きよしは、賢い。

(37) には、「は」がありますが、「が」がありません。まず、「は」があることから、「きよしは」は、この文の話題です。では、この文に、主語は、あるでしょうか？ (18a) の定義からすれば、

(18)　主語
　　　a.　文（単文・埋め込み文・付け足し文）の中で、必要語が一つしかない時、その必要語を主語と呼ぼう。

この文の中の必要語は、「きよし」だけですから、「きよし」は、話題であるだけでなく、主語でもあります。用心深い方のために、「きよしは」が、「きよしが」に置き換えられるか、「のはテスト」で見てみましょう。

(44)　きよしが賢いのは、本当だ。

「は」が「が」に置き換えられ、この文は、全く問題ない文であるので、「きよしは」は、(37) の主語であると言えます。

　続いて、埋め込み文の例を見ていきましょう。まず、(38) を見てください。

(38)　たけしは、きよしが賢いと思っている。

この文の埋め込み文は、(45) の [...] の部分です。

(45)　たけしは、[きよしが賢いと] 思っている。

(45) の [...] の部分には、必要語が一つあり、かつ、「が」が付いています。したがって、明らかに、「きよしが」は、この埋め込み文の主語です。「は」が付いた語がありませんから、この埋め込み文には、話題がないということになります。

44

続いて、(39) を見てください。

(39)　たけしは、きよしを賢いと思っている。

一瞬、何だこの文は、と思うかもしれません。埋め込み文は、いったいどこからどこまでなんだと疑問に思うかもしれません。が、主文は、

(46)　たけしは　思っている。

ですから、残りが、埋め込み文ということになります。そうすると、(39) の埋め込み文は、(47) の [...] の部分です。

(47)　たけしは、[きよしを賢いと] 思っている。

一瞬冷っとします。というのも、(47) の埋め込み文には、「が」も「は」もないからです。しかしながら、「んだってテスト」をすれば、「賢いんだって」と聞けば、「誰が？」と聞き返したくなりますから、人に当たる語が、必要語となります。この埋め込み文内には、必要語は、一つしかありませんから、「きよしを」がこの文の主語となります。さらに、「のはテスト」を行っても、

(48)　きよしが賢いのは、本当だ。

となり、やはり、「を」が「が」に置き換えられ、この文は、全く問題ない文であるので、「きよしを」は、(39) の埋め込み文の主語であると言えます。

次に、使役文と呼ばれる埋め込み文を持った文を見てみましょう。(40) を見てください。

(40)　きよしは、たけしを踊らせた。

人によっては、なぜこれが埋め込み文を持った文だと言えるのかと思うかもしれません。もちろん「踊らせた」を一つの動詞と考える方もいるかと

思います。それは、それで問題ありません。その場合には、「んだってテスト」と「のはテスト」によって、

(49)　きよしが踊らせたのは、たけしだ。

(50)　*たけしが踊らせたのは、きよしだ。

(40) の文は、(49) の意味しか持ちませんから、「きよしが」が主語ということになります。

　一方、使役（人に何かさせる）というのは、一般的な現象で、「させる」という動詞が、直前の「踊る」について、一見一つの動詞を構成しているように見えますが、実際は、

(51)　きよしがさせたのは、[たけしが踊る] ことだ。

という具合に、(51) の [...] 部分は、使役の中身で、動詞「させる」が必要としている文だと考えることもできます。そのような考え方においては、(40) は、(52) のような構造をしています。

(52)　きよしは、[たけしを踊ら] せた。

そうすると、この埋め込み文の主語は、いったい何になるんでしょうか？「踊る」という動詞に関して、「んだってテスト」と「のはテスト」を行えば、

(53)　たけしが踊ったのは、本当だ。

(53) が問題ない日本語の文であるので、(52) の埋め込み文の主語は、「を」が「が」に置き換えられていることから、「たけしを」であるということになります。

　続いて、(41) の使役文を見てみましょう。

(41)　きよしは、たけしに踊らせた。

(40) 同様、(41) も、埋め込み文を持っている文だという考え方においては、(41) は、(54) のような構造をしています。

(54) きよしは、[たけしに踊ら] せた。

そうすると、この埋め込み文の主語は、いったい何になるんでしょうか？ (40) の例と同様、「踊る」という動詞に関して、「んだってテスト」と「のはテスト」を行えば、

(55) たけしが踊ったのは、本当だ。

(55) が問題ない日本語の文であるので、(54) の埋め込み文の主語は、「に」が「が」に置き換えられていることから、「たけしに」であるということになります。

　最後に、付け足し文の例を見てみましょう。小倉百人一首の中に、崇徳院 (1119 年-1164 年) という方の歌があります。(42) を見てください。

(42) 瀬を早み　岩にせかるる　滝川のわれても末に　逢はむとぞ思ふ
（崇徳院 (1119 年-1164 年)）

意味は、(56) のようです。

(56) 川の瀬の流れが速いので、岩にせき止められた急流が二つに分かれている。しかし、分かれていても、また一つになるように、愛しいあの人と今は分かれていても、いつかはきっと再会しようと思う。

ここで重要なのは、「川の瀬の流れが速いので」という部分です。「ので」があるので、理由を表す付け足し文になっています。古語では、「み」が「ので」という意味であるので、崇徳院は、この部分を、(57) のように言っています。

(57)　瀬を早み

つまり、「川の瀬の流れを速いので」と言っています。しかし、意味は、(58) です。

(58)　川の瀬の流れが速いので

では、この付け足し文の述語「早し」(古語)、あるいは、「速い」(現代日本語) に関して、「んだってテスト」と「のはテスト」を行えば、

(59)　瀬が早いのは、本当だ。

(59) が問題ない日本語の文であるので、(57) の付け足し文の主語は、「を」が「が」に置き換えられていることから、「瀬を」であるということになります。

　この付け足し文の主語が「を」を取る現象は、現代日本語では消失してしまいましたが、現代モンゴル語には、普通に残っています。(60) を見てください。

(60)　Öčügedür Ulaɣan-i　　suryaɣuli-du iregsen učirača,
　　　昨日　　　ウラーン-を　学校-に　　　来た　　ので
　　　bügüdeger bayarlajai.
　　　みんなが　喜んだ。
　　　‘昨日ウラーンが学校に来たので、みんなが喜んだ。’

(60) では、理由を表す付け足し文「昨日ウラーンを学校に来たので」の主語「ウラーン」が、「を」を伴っており、古語の状況と全く同じになっています。そして、実際、この付け足し文における主語は、(61) に見られるように、

(61) Öčügedür Ulaɣan surɣaɣuli-du iregsen učirača,
昨日　　ウラーン.が 学校-に　　　来た　　　ので

bügüdeger bayarlajai.
みんなが　喜んだ。

'昨日ウラーンが学校に来たので、みんなが喜んだ。'

「ウラーン」に音声がある助詞が何も付かず、「ウラーンが」を示す語に置き換えられていることから、「ウラーンを」であるということになります。

　もう一つ、付け足し文がある文を見てみましょう。(43) を見てください。

(43)　ラーメンのうまい店は、この店だ。

(43) において、付け足し文は、「店」を修飾する関係節で、(62) の [...] で示されます。

(62)　[ラーメンのうまい] 店は、この店だ。

では、この付け足し文の述語「うまい」に関して、「んだってテスト」と「のはテスト」を行えば、

(63)　ラーメンがうまいのは、本当だ。

(63) が問題ない日本語の文であるので、(62) の付け足し文の主語は、「の」が「が」に置き換えられていることから、「ラーメンの」であるということになります。

　これまで、必要語が一つである文を見てきました。そこでわかったのは、その必要語に、「は」、「を」、「に」、「の」、「が」が付いていても、すべてその必要語は、その文の主語であるということです。カメレオンか！つまり、主語を見極めるには、表面上についている助詞に惑わされてはいけないということです。

このことを念頭に、より複雑な、必要語が二つ以上ある例を見ていきたいと思います。

に-が（存在文）

(64)　公園に池がある。

(65)　公園にハトがいる。

(66)　公園に池がない。

(67)　公園にハトがいない。

は-が（形容詞）

(68)　きよしは、浅草が好きだ。

(69)　たけしは、志ん生が好きだ。

(70)　私は、饅頭が怖い。

(71)　私は、お茶が欲しい。

(72)　私は、お茶が飲みたい。

には-が I

(73)　きよしには、テニスができる。

(74)　きよしには、中国語がわかる。

(75)　きよしには、フランス語が読める。

(76)　きよしには、相棒が要る。

(77)　きよしには、相棒が必要だ。

50

には-が Ⅱ

(78)　きよしには、財産がある。

(79)　きよしには、相棒がいる。

(80)　きよしには、その山が見える。

(81)　きよしには、その音が聞こえる。

　それでは、に-が（存在文）から始めましょう。(64) と (65) を見てください。

(64)　公園に池がある。

(65)　公園にハトがいる。

まず「んだってテスト」をすれば、「ある・いる」という動詞は、存在する無生物・生物と、その存在場所が必要であることがわかります。「ある・いるんだって？」と聞けば、「どこに、何が？」と聞き返すでしょう。では、「に」がついている語と、「が」がついている語のどちらが主語か、「のはテスト」で見てみましょう。以下、「公園」は、漠然とした公園と言うよりは、特定の公園である方が普通に聞こえますので、「公園」の前に（その）を付けておきます。

(82)　池があるのは、（その）公園だ。

(83) *(その) 公園があるのは、池だ。

(84)　ハトがいるのは、（その）公園だ。

(85) *(その) 公園がいるのは、ハトだ。

(83) と (85) がまったくおかしな日本語の文であることから、存在文の

主語は、「池が」と「ハトが」であることがわかります。

　さて、ここまで、日本語の主語はどれか決定するのに、「んだってテスト」と「のはテスト」を使ってきました。ここでちょっと思い出していただきたいのは、英語の主語を決める方法が、日本語の主語を決めることに役立つかどうかということです。Chomsky（1965, p. 71）によれば、文を作り出す句構造規則（3）が、作り上げられた文の中で、どれが主語か、どれが目的語かを自動的に決定します。（4）の文は、（3）の句構造規則によって、視覚的には、（5）のような構造を形成します。

（3）　句構造規則

　　a.　S　　→　NP VP

　　b.　VP　→　V NP

　　c.　NP　→　N

（4）　John　saw　Mary.

　　　ジョン　見た　メアリー

　　　'ジョンは、メアリーを見た。'

（5）

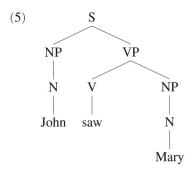

Chomsky（1965）によれば、主語とは、S のすぐ下にある NP のことです。（3）の句構造規則を少し工夫すれば、英語の存在文を作り出すことができます。（3）を（86）のように変えてみましょう。下線部が新しく足された部分です。

(86)　句構造規則（英語）

    a.　S　→　NP VP

    b.　VP　→　V NP <u>PP</u>

    c.　NP　→　N

    d.　<u>PP</u>　→　P NP

        S = sentence（文）

        NP = noun phrase（名詞句）

        VP = verb phrase（動詞句）

        PP = preposition phrase（前置詞句）

        N = noun（名詞）

        V = verb（動詞）

        P = preposition（前置詞）

より厳密に言えば、(86b) の VP → V NP <u>PP</u> の規則は、VP は、すべて、V NP PP という連鎖に書き換えられることを意味するので、出現してもしなくてもいい要素を表現するために、（　）を使って、VP → V (NP) (PP) と書き替える必要があります。そこで、(86) を (87) のように書き換えます。

(87)　句構造規則（英語）

    a.　S　→　NP VP

    b.　VP　→　V (NP) (PP)

    c.　NP　→　N

    d.　PP　→　P NP

        S = sentence（文）

        NP = noun phrase（名詞句）

        VP = verb phrase（動詞句）

        PP = preposition phrase（前置詞句）

> N = noun（名詞）
>
> V = verb（動詞）
>
> P = preposition（前置詞）

（87）の句構造規則が与えられれば、（88）のような文が形成され、その文は、（89）のような構造をしています。

(88)　There are　apples in　　it.
　　　　　ある　リンゴ　の中　それ
　　'その中にリンゴがある。'

(89)

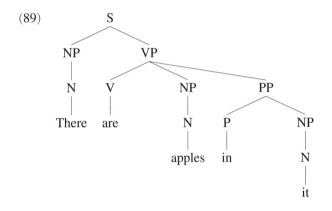

（89）において、主語は、*there* です。S のすぐ下にある NP だからです。*apples* ではありません。しかも、*there* 自体には、意味がありません。Chomsky（1965）の定義によれば、英語においては、意味がないものが、普通に主語になります。

　では、このような方法が、日本語の存在文にうまく使えるでしょうか？Kuno（1973）や Saito（2010）は、日本語の存在文の基本語順は、（90）のようであると述べています。

(90) 公園に　池が　ある。
　　　場所　　主語　動詞

(90) においては、主語が、前から 2 番目に来ています。英語と異なり、先頭ではありません。一方、(91) のような文の基本語順は、主語が先頭です。

(91) たけしが　なぎさを　見た。
　　　主語　　　　　　　動詞

英語の句構造規則 (87) を日本語の句構造規則 (92) に変え、(91) の文を句構造の形で描いてみれば、(93) に見られるように、「たけしが」が、(93) における S のすぐ下の NP に入ります。

(92) 句構造規則（日本語）

　　a.　S　　→　NP VP

　　b.　VP　→　(PP) (NP) V

　　c.　NP　→　N

　　d.　PP　→　NP P

　　　　S = sentence（文）

　　　　NP = noun phrase（名詞句）

　　　　VP = verb phrase（動詞句）

　　　　PP = postposition phrase（後置詞句）

　　　　N = noun（名詞）

　　　　V = verb（動詞）

　　　　P = postposition（後置詞）

(93)

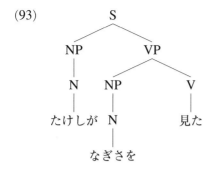

　そうすると、句構造規則を結構工夫しても、なかなか、(90) の「池が」をSのすぐ下のNPとして、同時に、(91) の「たけしが」をSのすぐ下のNPとして置くことができません。ひょっとしたら何らかの方法があるかもしれませんが、現時点では、日本語においては、句構造を基盤にしてだけ、主語を規定することができません。(90) の句構造を無理して作ると、(94) と (95) のようになります。

(94)

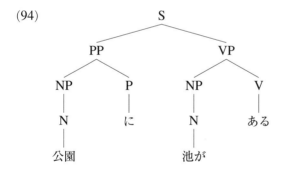

56

(95)

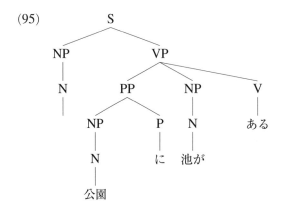

(94) の場合は、(92a) の S → NP VP という規則を、無理やり、

　(96)　S　→　{NP, PP} VP

と書き換え、{…} の内部の要素は、どちらか一つを選ぶということにする他ありません。ただし、このような規則を作ると、(97) のようなわけのわからない文も作られてしまうので

　(97) *たけしにその本を読んだ。
　　　　意図された意味：たけしがその本を読んだ。

(92a) の規則の書き換えの代償を払うことになります。
　さて、(94) では、後置詞句 PP の「公園に」を無理やり、S のすぐ下に置きました。一方、(95) では、S のすぐ下の NP を空欄にしておいて、VP の内部に、後置詞句 PP「公園に」、名詞句 NP「池が」、そして動詞 V「ある」を置きました。この場合においても、(92a) の S → NP VP という規則を、無理やり、

　(98)　S　→　(NP) VP

と書き換え、（　）の内部の要素は、あってもなくてもいいことにする他ありません。(95) は、文頭の空欄の NP が、あたかも、英語の意味がな

い *there* であるかのように想定しています。しかしながら、（94）においても、（95）においても、「んだってテスト」と「のはテスト」で主語だと決定された「池が」が、S のすぐ下の NP の位置に来ていません。

　このことから、現時点では、日本語の主語を決定する上で、句構造規則とその結果作られる句構造だけに基づいて行うという方法をいったん避けておくことが安全かもしれません。以下では、構造ではなく、「んだってテスト」と「のはテスト」によって主語がどれか決定していきたいと思います。

　先に進む前に、もう一つ、別の有力なテストについて見ておきたいと思います。原田（1973）は、四つ、主語を特定するテストを提案しました。その中で最もわかりやすいテストを一つ見てみたいと思います。それは、「自分テスト」です。原田（1973）によれば、「自分」には、（99）の特徴があります。（原田（1973）は、注6の中で、この「自分テスト」は、久野暲、赤塚紀子の未公刊の研究によると述べています。）

　（99）　「自分」の先行詞は必ず文の「主語」である。

より簡単に言えば、文中に、「自分」が出てきたら、それが指し示すものは、その文の中の主語であるということです。具体的に、（100）の例で見てみましょう。

（100）　イチローが　翔平を　自分の部屋で　褒めた。

この文で、「自分」は、いったい、「イチロー」か「翔平」か、どれを指しているでしょうか？　指しているものが同じであることを示すために、名詞と「自分」に、同じ数字を振ってみました。

（101）　イチロー$_1$が　翔平を　自分$_1$の部屋で　褒めた。

（102）＊イチロー$_1$が　翔平$_2$を　自分$_2$の部屋で　褒めた。

58

日本語母語話者であれば、「自分」は、「イチロー」しか指せません。万が一、(102) のように、「翔平」を指すとすれば、その文は、全く意味をなさない文となります。ですから、＊のマークを付けておきました。このことから、(99) によれば、(100) における主語は、「イチローが」であることになります。

　続いて、(103) を見てみましょう。

(103)　翔平が、イチローによって　自分の部屋で　褒められた。

この文は、(100) を受け身の形にして、「翔平」を文頭に持ってきています。再度、指しているものが同じであることを示すために、名詞と「自分」に、同じ数字を振ってみました。

(104)　翔平$_1$ が、イチローによって　自分$_1$ の部屋で　褒められた。

(105)　＊翔平が、イチロー$_2$ によって　自分$_2$ の部屋で　褒められた。

この場合、「自分」は、「翔平」しか指せません。万が一、(105) のように、「イチロー」を指すとすれば、その文は、全く意味をなさない文となります。ですから、＊のマークを付けておきました。このことから、再度 (99) によれば、(103) における主語は、「翔平が」であることになります。

　続いて、(106) を見てみましょう。

(106)　イチローが　その本を　自分の部屋で　書いた。

(106) において、「自分」は、いったい、何を指しているでしょうか？　指しているものが同じであることを示すために、名詞と「自分」に、同じ数字を振ってみました。

(107)　イチロー$_1$ が　その本を　自分$_1$ の部屋で　書いた。

(108)　＊イチローが　その本$_2$ を　自分$_2$ の部屋で　書いた。

(106) においては、「自分」は、「イチロー」しか指せません。万が一、(108) のように、無理やり「その本」を指すとすれば、その文は、全く意味をなさない文となります。ですから、＊のマークを付けておきました。このことから、(99) によれば、(106) における主語は、「イチローが」であることになります。

　最後に、(109) を見てみましょう。

（109）　その本が、イチローによって　自分の部屋で　書かれた。

この文は、(106) を受け身の形にして、「その本」を文頭に持ってきています。再度、指しているものが同じであることを示すために、名詞と「自分」に、同じ数字を振ってみました。

（110）＊その本₁が、イチローによって　自分₁の部屋で　書かれた。

（111）　その本が、イチロー₂によって　自分₂の部屋で　書かれた。

(109) は、今まで見た例と異なり、「自分」は、「イチロー」しか指せません。万が一、(110) のように、「その本」を指すとすれば、その文は、全く意味をなさない文となります。ですから、＊のマークが付けてあります。そうなると、(99) によれば、(109) における主語は、「イチローによって」ということになります。

　しかし、これは、ちょっと奇妙です。(99) によれば、受け身にする前の文においては、二つ名詞があれば、「が」が付いた名詞が主語であり、受け身にした場合も、(109) を除けば、「が」が付いた名詞が主語であるにもかかわらず、(109) においてのみ、「が」が付いた名詞が人でなければ、「○○によって」の○○という人が主語になっています。(99) は、この例以外は、ほぼ一貫した形で、「が」が付いた名詞が主語であると予測するのに、(109) の例だけ、例外のように、「が」が付いていない名詞を主語であると予測します。そこで、以下では、「自分テスト」は、おおか

た正しい予測をするものの、ひとまず、横において、話を進めていきたいと思います。

　それでは、以下では、構造上の位置と「自分テスト」を用いるのではなく、引き続き、「んだってテスト」と「のはテスト」によって主語がどれか決定していきたいと思います。

　(66) と (67) に戻りましょう。

　(66)　公園に池がない。

　(67)　公園にハトがいない。

まず「んだってテスト」をすれば、「ない・いない」という述語は、存在「しない」無生物・生物が必要であることがわかります。「ない・いないんだって？」と聞けば、「何が？」と聞き返すでしょう。その後、あれ、ちょっと何か足りないなと思い直し、その存在場所も必要だと感じそうです。その結果、「どこに、何が？」と聞き返すことになりそうです。そこで、「に」がついている語と、「が」がついている語のどちらが主語か、「のはテスト」で見てみましょう。以下、「公園」は、漠然とした公園と言うよりは、特定の公園である方が普通に聞こえますので、「公園」の前に（その）を付けておきます。

　(112)　池がないのは、（その）公園だ。

　(113) *(その) 公園がないのは、池だ。

　(114)　ハトがいないのは、（その）公園だ。

　(115) *(その) 公園がいないのは、ハトだ。

(112) と (114) に比べて、(113) と (115) がかなりおかしな日本語の文であることから、存在文の主語は、「池が」と「ハトが」であることがわか

ります。

　続いて、は-が（形容詞）を見てみましょう。(68)-(72) を見てください。相澤ほか (2021a) などの中学 1 年国語で、「楽しい」のように「い」で終わる語を、形容詞、また、「静かな・静かだ」のように「な・だ」で終わる語を形容動詞と習います。以下、より簡単に、ともに形容詞と呼びます。(6 章において、形容詞の問題を扱います。)

は-が（形容詞）

　(68)　きよしは、浅草が好きだ。

　(69)　たけしは、志ん生が好きだ。

　(70)　私は、饅頭が怖い。

　(71)　私は、お茶が欲しい。

　(72)　私は、お茶が飲みたい。

まず「んだってテスト」をすれば、これらの形容詞は、その形容詞の内容をする人とされる人・ものが必要であることがわかります。例えば、「好きなんだって？」と聞けば、「誰が、何が？」、あるいは、後から考えれば不思議ですが、「誰が、何を？」と聞き返すでしょう。では、「誰が、何が？」と聞き返す場合、「が」が付いている二つの語のうち、どちらが主語か、「のはテスト」で見てみましょう。

　(116)　きよしが好きなのは、浅草だ。

　(117)　浅草が好きなのは、きよしだ。

　(118)　たけしが好きなのは、志ん生だ。

　(119)　志ん生が好きなのは、たけしだ。

(120)　私が怖いのは、饅頭だ。

(121)　饅頭が怖いのは、私だ。

(122)　私が欲しいのは、お茶だ。

(123)　お茶が欲しいのは、私だ。

(124)　私が飲みたいのは、お茶だ。

(125)　お茶が飲みたいのは、私だ。

これらの形容詞は、すべて、どちらの必要語に「が」を付けても、全く問題ない日本語の文となります。そうなると、(18c) に従う必要があります。

(18)　主語
    a.　文（単文・埋め込み文・付け足し文）の中で、必要語が一つしかない時、その必要語を主語と呼ぼう。
    b.　文（単文・埋め込み文・付け足し文）の中で、必要語が二つ以上ある時、その必要語に付いている助詞が、「のはテスト」によって、「が」に置き換えられる必要語を主語と呼ぼう。
    c.　ただし、複数の必要語に「が」が付けられる場合は、述語の内容を「する」方と「される」方のうち、する方を主語と呼ぼう。

(18c) には、複数の必要語に「が」が付けられる場合は、述語の内容を「する」方と「される」方のうち、する方を主語と呼ぶとあるので、(68)-(72) において、すべて、「は」が付いている方が主語ということになります。

　ここで注意することが2点あります。1点目。おもしろいことに、複数の必要語に「が」が付けられる場合、その述語が形容詞であれば、関連する動詞が存在するということです。以下に、例を示します。

(126)　　　形容詞　　　　動詞

    a.　が好きだ　　　を好く

    b.　が嫌いだ　　　を嫌う

    c.　が怖い　　　　を怖がる

    d.　が欲しい　　　を欲しがる・を欲する

    e.　がしたい　　　をしたがる・をするのを欲する

    f.　が必要だ　　　を必要とする・を要する

どちらが最初にできあがったかはわかりませんが、共通の要素を形容詞と動詞で共有しているように見えます。このことがあるからこそ、「んだってテスト」で、「好きなんだって？」と聞けば、「誰が、何が？」と聞き返すところを、「誰が、何を？」と聞き返すことが生じてくると思います。そうなると、(18c) の「複数の必要語に「が」が付けられる場合は、述語の内容を「する」方と「される」方のうち、する方を主語と呼ぶ」は、もう少し違う言い方をすれば、主語の「が」をもう一つの「が」から明確に区別できるかもしれません。ただ、(18c) をうまく書き換えても、但し書きには違いありませんから、より簡潔な主語の定義になるというわけではありません。したがって、本書では、(18c) を (18c) のままにして、話を進めていきたいと思います。

　2点目。(72) の「飲みたい」です。

(72)　私は、お茶が飲みたい。

上の説明では、「飲みたい」を一つの形容詞として提示していますが、厳密には、(72) は、以下のように、埋め込み文を含んでいます。

(127) a.　主文　　　　　私は [...] たい・欲する。

    b.　埋め込み文　[(私が・自分が) お茶を飲む]

埋め込み文に「んだってテスト」をしてみましょう。「飲むんだって」と聞

けば、「誰が、何を？」と聞き返します。すると、「私が・自分が、お茶を」となります。これが元となっているため、人によっては、(72) の代わりに、(128) と聞いても、全く違和感がないと思います。

(128)　私は、お茶 を 飲みたい。

この場合は、「飲みたい」を一つの形容詞と考えず、埋め込み文の動詞「飲む」は、別個に機能し、その必要語の一つとして、「お茶を」を取っているということになります。(124) と (125) においては、話をわかりやすくするために、「飲みたい」を複合的な形容詞として扱いました。

　続いて、には-が I を見てみましょう。(73)-(77) を見てください。(73)-(76) までは、すべて動詞を含んでいて、そして、必要語が二つある例です。(77) は、(76) と類似しているので、形容詞を含んでいますが、一緒に扱うことにしました。

には-が I

(73)　きよしには、テニスができる。

(74)　きよしには、中国語がわかる。

(75)　きよしには、フランス語が読める。

(76)　きよしには、相棒が要る。

(77)　きよしには、相棒が必要だ。

まず「んだってテスト」をすれば、これらの動詞・形容詞は、その動詞・形容詞の内容をする人とされる人・ものが必要であることがわかります。例えば、「できるんだって？」と聞けば、「誰が、何が？」、あるいは、場合によっては、「誰が、何を？」と聞き返すでしょう。では、「誰が、何が？」と聞き返す場合、「が」が付いている二つの語のうち、どちらが主

語か、「のはテスト」で見てみましょう。

(129)　きよしができるのは、テニスだ。

(130)　テニスができるのは、きよしだ。

(131)　きよしがわかるのは、中国語だ。

(132)　中国語がわかるのは、きよしだ。

(133)　きよしが読めるのは、フランス語だ。

(134)　フランス語が読めるのは、きよしだ。

(135)　きよしが要るのは、相棒だ。

(136)　相棒が要るのは、きよしだ。

(137)　きよしが必要なのは、相棒だ。

(138)　相棒が必要なのは、きよしだ。

これらの動詞・形容詞は、すべて、どちらの必要語に「が」を付けても、全く問題ない日本語の文となります。そうなると、再び、(18c) に従う必要があります。

(18)　主語
　　a.　文（単文・埋め込み文・付け足し文）の中で、必要語が一つしかない時、その必要語を主語と呼ぼう。
　　b.　文（単文・埋め込み文・付け足し文）の中で、必要語が二つ以上ある時、その必要語に付いている助詞が、「のはテスト」によって、「が」に置き換えられる必要語を主語と呼ぼう。
　　c.　ただし、複数の必要語に「が」が付けられる場合は、述語の内容を「する」方と「される」方のうち、する方を主語と呼ぼう。

(18c) には、複数の必要語に「が」が付けられる場合は、述語の内容を「する」方と「される」方のうち、する方を主語と呼ぶとあるので、(73)-(77) において、すべて、「には」が付いている方が主語ということになります。

次に、には-が II を見てみましょう。(78)-(81) を見てください。これらは、すべて動詞を含んでいて、そして、必要語が二つある例です。

には-が II

(78)　きよしには、財産がある。

(79)　きよしには、相棒がいる。

(80)　きよしには、その山が見える。

(81)　きよしには、その音が聞こえる。

(78) と (79) は、以前に見た存在文と少し違います。異なる点は、「には」が付いている語が、場所ではなく、人、あるいは、所有者であることです。また、(80) と (81) の動詞は、人に「には」が付く語を含む例と、ある特定の場所に「から」が付く語を含む例があります。

(139)　ここから、その山が見える。

(140)　2 階から、その音が聞こえる。

まず、(139) と (140) から、「のはテスト」を行い、どれが主語が確認しましょう。

(141) *ここ（から）が見えるのは、その山だ。

(142)　その山が見えるのは、ここからだ。

(143) *2 階（から）が聞こえるのは、その音だ。

（144）　その音が聞こえるのは、2階からだ。

このように、(141) と (143) がまったくおかしな日本語であることから、(139) と (140) の文の主語は、「山が」と「音が」だと言えます。

　では、(80) と (81) に、「のはテスト」をしてみましょう。

（145）　きよしが見えるのは、その山だ。

（146）　その山が見えるのは、きよしだ。

（147）　きよしが聞こえるのは、その音だ。

（148）　その音が聞こえるのは、きよしだ。

実は、これらの例が日本語としてまったく問題ない文かと言われると、私には、明確な答えが出せません。(146) と (148) をもう少し修正してみましょう。

（149）　その山が見えるのは、きよし に だ。

（150）　その音が聞こえるのは、きよし に だ。

(149) と (150) は、(146) と (148) よりある程度理解しやすくなっていると思います。

　では、(145) と (147) はどうでしょうか？　これらの文が日本語としてまったく問題ない文かどうかは、現時点では、明確には判断できないか、あるいは、人によって、判断が異なるかのどちらかだと思います。現時点では、「が」に置き換えて、完全に問題ないと判断されるのが二つの名詞のうちの一つだけであることから、とりあえず、これらの文の主語は、「山が」と「音が」であると仮定しておき、「のはテスト」の結果の扱いは、問題として残しておきたいと思います。

　同様の問題が、(78) と (79) にも起きてきます。「のはテスト」の結果

68

を見てみましょう。

(151) きよしがあるのは、財産だ。

(152) 財産があるのは、きよしだ。

(153) きよしがいるのは、相棒だ。

(154) 相棒がいるのは、きよしだ。

(152) と (154) は、日本語としてなんら問題ない文です。しかし、(151) と (153) はどうでしょうか？　これらの文が日本語としてまったく問題ない文かどうかは、現時点では、明確には判断できないか、あるいは、人によって、判断が異なるかのどちらかだと思います。「見える」と「聞こえる」の例と同様、現時点では、「が」に置き換えて、完全に問題ないと判断されるのが二つの名詞のうちの一つだけであることから、とりあえず、これらの文の主語は、「財産が」と「相棒が」であると仮定しておき、「のはテスト」の結果の扱いは、問題として残しておきたいと思います。

　これまで、文の中に必要語が一つ、あるいは、二つある場合を見てきました。以下では、文の中に必要語が三つある場合を見て、これまで想定してきた考え方においては、どの必要語が主語になるか見てみましょう。(155) の例を見てください。

(155) イチローが　翔平に　バットを　あげた。

動詞「あげる」は、あげ手、受け取り手、そして、あげられる物が必要で、それらに対応する語が、必要語となります。では、「のはテスト」をして、どれが主語となりうるか見てみましょう。

(156) イチローが　翔平に　あげたのは、バットだ。

(157) イチローが　バットを　あげたのは、翔平だ。

(158) *翔平が　バットを　あげたのは、イチローだ。

(159) *翔平が　イチローが　あげたのは、バットだ。

(160) *バットが　イチローが　あげたのは、翔平だ。

(161) *バットが　翔平に　あげたのは、イチローだ。

これらの例は、もともと「イチローが」であったものを、そのまま、「イチローが」に変えた形にして、「のはテスト」の文の形に入れた時だけ、文が成立してることを示しています。したがって、必要語が三つある場合、もともと「を」や「に」が付いていた名詞は、主語ではないことがわかります。

　これまでのところをまとめておきます。話題と主語は、以下のように定義しました。

(17)　話題
　　　「は」が付いた語で、単文と埋め込み文の文頭にあるものを話題と呼ぼう。

(18)　主語
　　a.　文（単文・埋め込み文・付け足し文）の中で、必要語が一つしかない時、その必要語を主語と呼ぼう。
　　b.　文（単文・埋め込み文・付け足し文）の中で、必要語が二つ以上ある時、その必要語に付いている助詞が、「のはテスト」によって、「が」に置き換えられる必要語を主語と呼ぼう。
　　c.　ただし、複数の必要語に「が」が付けられる場合は、述語の内容を「する」方と「される」方のうち、する方を主語と呼ぼう。

　以下では、(17) と (18) を持って、象の鼻の例を見ていきたいと思います。具体的には、以下の四つの例を見ます。

(162)　象は、鼻が長い。

(163)　象が、鼻が長いこと

(164)　象の鼻は、長い。

(165)　象の鼻が、長いこと

まず、形容詞「長い」の必要語を「んだってテスト」で考えてみましょう。「長いんだって」と聞いたら、「何が？」と聞き返します。どれだけ注意深い方でも、いきなり、「どの動物の、何が？」とか、「どの動物が、何が？」とか、「どの動物は、何が？」とは聞き返しません。形容詞「長い」が必要としている必要語は、一語だけなのです。そうすると、

(162)　象は、鼻が長い。

の「象は」は、必要語ではありません。すると、唯一の必要語は、「鼻が」となり、それが、この文の主語となります。

　ただし、この例を考える時は、2章で触れたように、モンゴル語の例が参考になります。モンゴル語においても、日本語同様、「象は鼻が長い」と言えます。

(166)　Jagan-bol qamar-ni 　　　　urtu.
　　　　象-は　　　鼻-所有代名詞 長い
　　　　'象は、その鼻が長い。'

モンゴル語では、日本語の「が」にあたる助詞がありません。したがって、(166) では、「象は、鼻長い。」のようになっていますが、-bol は、日本語の「は」と同様に、話題を示します。(166) で重要なのは、qamar「鼻」の後ろに、所有代名詞 -ni が付いていることです。これは、「鼻」は、「象」が所有していることを意味しています。ですから、訳に見られるように、「象は、「その」鼻が長い。」という意味になります。日本語には、表面上、

音声を伴った所有代名詞はありませんが、モンゴル語との共通性を考慮に入れると、実際には、音声がたまたまない所有代名詞が「鼻」にくっ付いているかもしれません。そうなると、日本語で、(162) のように言った場合でも、実際には、(167) のように、音がない「その」が存在しているかもしれません。

(167)　象は、(その) 鼻が長い。

実際、(168) のように、「その」が表面に現れても、文としては、全く問題ありません。

(168)　象は、その鼻が長い。

(162) は、まさに、モンゴル語の (166) に対応する文です。
　同様のことが、(163) にも言えます。

(163)　象が、鼻が長いこと

(163) においても、「象が」は、必要語ではありません。すると、唯一の必要語は、「鼻が」となり、それが、この文の主語となります。あるいは、音がない「その」を含む「その鼻が」かもしれません。
　上記のことは、三上の主張、「「象は」も「象が」も、これらの文の主語ではない」は、完全に正しいことを示しています。一方、これら文の主語は、三上が使いたくなかった用語ですが、「(その) 鼻が」になります。ここで一つ注意することがあります。(162) における「象は」は、文頭にあるので、この文の「話題」となります。一方、(163) の「象が」には、まだ名前がありません。「が」が付いているので、「話題」ではなく、必要語でもないので、「主語」でもありません。(163) をちょっと変えて、(169) のようにして、考えてみましょう。

(169)　象が　鼻が　長いのは、本当だ。

そして、さらに、（169）と（170）を比べてみます。

　（170）　象の鼻が　長いのは、本当だ。

（169）と（170）の大きな違いは、（170）においては、主語が、「象の鼻が」であることです。というのも、それは、この「のは」の前の文の中の唯一の必要語だからです。それに対して、（169）では、「象が　鼻が」は、「象の鼻が」のように、一つの名詞句（名詞より大きいもの）ではありません。例えば、（169）と（170）の文の「象」と「鼻」の間に、「私が手を広げたくらい」という副詞句を入れてみるとわかります。

　（171）　象が、私が手を広げたくらい、鼻が　長いのは、本当だ。

　（172）＊象の、私が手を広げたくらい、鼻が　長いのは、本当だ。

（171）は、言おうと思えば言えないことはないのに対し、（172）は、「象の鼻」を「象の」と「鼻」の二つに分割し、その間に「私が手を広げたくらい」を入れたことで、「象の鼻」という意味を回復することはできません。となると、（171）の「象が」は、「象は」の話題と異なり、また、（170）における「象の」の「鼻」を修飾する語とも異なり、さらには、「んだってテスト」により、主語でもありません。そこで、本書では、このような「が」を、付け足し語の「が」と呼んでおきたいと思います。
　残るは二つです。

　（164）　象の鼻は、長い。

　（165）　象の鼻が、長いこと

これらの文の中の主語はどれか？ 必要語は、どちらも一つ。「象の鼻は」と「象の鼻が」。では、「のはテスト」をしてみましょう。どちらも、（173）の形になります。

(173)　象の鼻が長いのは、本当だ。

したがって、(164) と (165) における主語は、「象の鼻（が）」です。(164) は、「は」によって、「が」が隠れているだけです。(164) では、「象の鼻は」は、この文の話題であり、かつ、主語であるというわけです。

　本章の主張をまとめます。簡単です。必要なテストは、二つ。

(174)　んだってテスト
　　　　述語にとっての必要語を探すテスト

(175)　のはテスト
　　　　主語を見つけるテスト

また、必要な定義は、以下の二つ。

(17)　話題
　　　　「は」が付いた語で、単文と埋め込み文の文頭にあるものを話題と呼ぼう。

(18)　主語
　　　a.　文（単文・埋め込み文・付け足し文）の中で、必要語が一つしかない時、その必要語を主語と呼ぼう。
　　　b.　文（単文・埋め込み文・付け足し文）の中で、必要語が二つ以上ある時、その必要語に付いている助詞が、「のはテスト」によって、「が」に置き換えられる必要語を主語と呼ぼう。
　　　c.　ただし、複数の必要語に「が」が付けられる場合は、述語の内容を「する」方と「される」方のうち、する方を主語と呼ぼう。

本書では、次の立場を取っていることに注意してください。「主語」という用語は、必要語が一つ以上ある文において、その名前を割り当てておくと、混乱が少なくなるという意味において必要であり、文法の中の決定的

要素というわけではないということです。文法にとって決定的に必要なのは、文の述語にとって、何が必要語であるか、何が必要語でないかの区別です。本書の主語の定義が、混乱を少なくする上で妥当であるかどうかは、常に検証されなければなりません。

④章　日本の教科書の中の「目的語」

言いたいこと：**日本語には、目的語があるの？**

前章では、日本語の話題と主語について見てきました。本章では、「目的語」について考えてみたいと思います。前章で外観したように、日本の小学校国語においては、甲斐ほか (2017a, 2018a) によれば、日本語には、主語と述語と修飾語は、明示的に学びますが、「目的語」という用語は、一度も使われていません。次の (1)-(3) の定義がすべてを教えてくれます。

(1)　主語（小学校 2 年生国語下）　　　　（甲斐ほか (2017a, p. 21)）
　　　主語は、文の中で「何が・何は」に当たる言葉である。

(2)　述語（小学校 2 年生国語下）　　　　（甲斐ほか (2017a, p. 21)）
　　　述語は、主語の「何が・何は」に関して、「どうした」に当たる言葉である。

(3)　修飾語（小学校 3 年生国語下）　（甲斐ほか (2018a, pp. 26-27)）
　　　文の中で「誰に」、「何を」、「いつ」、「どこで」、「どんな」などに当たる言葉を修飾語と言う。

(3) の補足として、日本の中学校では、修飾語について、以下の例によって、名詞を修飾する語も、修飾語であると習います。

(4)　彼女は、<u>有名な</u>俳優だ。　　　　　　　（甲斐ほか (2016, p. 244)）

(4) と同様の例が、甲斐ほか (2021a, p. 243) にも提示されています。

　ここで注意したいことは、修飾語の中には、「んだってテスト」によって、明らかに必要語であるものと、そうでないものが混在しているということです。具体的には、(5) の例の中の名詞は、すべて必要語ですが、(6) における名詞以外の要素は、必要語ではありません。

(5)　<u>たけしが</u>　<u>くつを</u>　買った。

(6)　<u>たけしが</u>　<u>昨日</u>　<u>浅草で</u>　<u>おしゃれな</u>くつを　買った。

修飾語は、「修飾」という語を文字通り解釈すると、あるものを飾り立てるものであるから、本来は、必要ないものであると受け取られても不思議ではありません。となると、「修飾語」という用語の定義が、必要語である「が」や「を」が付いた名詞と必要ではないその他の語をともに含みこむことで、繊細な小学生や中学生が混乱する可能性も出てきます。

　その混乱の一例は、ある出版社の小学生向け問題集にも見られます。文は、主語と述語からなるということが前提で、本書で何度も見かける「必要語」は前提とされていないことから、次のような混乱が起きているように見えます。

(7)　問題
　　　次の各文の主語と述語の関係は、

　　ア　何が–どうする
　　イ　何が–どんなだ
　　ウ　何が–なんだ

のどれに当たりますか？

 a. 机の上にかざられた花は　とても美しい。

 b. 君から借りた本は　一晩で読んだよ。

解答は、以下に示されています。

 (8) 解答

  a. 机の上に飾られた花は　とても美しい。

  イ　何が‒どんなだ

  b. 君から借りた本は　一晩で読んだよ。

  ア　何が‒どうする

(7a) の答えは、(8a) の解答通りだと思います。一方、(7b) の答えは、「「何が」どうする？」と聞かれても、「何が」に当たるものが、(7b) の中には、見当たりません。これは、「んだってテスト」をすれば、良くわかります。

 (9) a. 読んだんだって。

  b. 誰が、何を？

質問の中に、次の文の「主語と述語の関係は」と書いてありますが、(7b) の中に、

 (7) b. 君から借りた本は　一晩で読んだよ。

主語である「誰が」が入っていません。ですから、解答不可能であるというのが、解答です。しかしながら、解答例には、(7b) は、「何が、どうする」というパターンであるとされています。仮に、「君から借りた本」が、「何が」に当たるとし、それを解答のように、「何が、どうする」に当てはめると、ちょっと奇妙な文になります。

(10) *君から借りた本が、一晩で読んだよ。

(10) は、日本語としては、非文です。このちょっとした問題の起源は、おそらく、「文は、主語と述語からなる」というもっとも重要なことにのみ注意を注いでいることにあるように見えます。主語と述語以外は、みな修飾語で、修飾語は、みな同じものであるから、それについて特別に注意を払う必要はないということかもしれません。

　しかしながら、もし、修飾語と言われるものが、実際は、必要語とそうではない語に分けられるなら、上のような問題を、出題者側が作成することがなかったかもしれません。そうすると、小学校で学んだ「修飾語」を、もう少し丁寧に説明する必要があるかもしれません。以下では、おもしろいことに、もう少し丁寧に説明するために、日本の教科書に、「目的語」という用語が使われている例があることを見ていきます。実際には、一度も習わないことになっていますが、こっそり、出現している例があるのです。これは、修飾語を、もう少し丁寧に説明したいという教科書作成者側の本当の気持ちが表れていることを示しているように見えます。以下に提示する例は、主に中村・牧 (2020) からです。

　栗原ほか (2001c, p. 219) は、中学3年国語の教科書の中で、英語や中国語と比較しながら、日本語の特性について様々な視点から解説しています。ここではまず各言語の語順に注目して日本語をとらえています。「2 助詞・助動詞」の項目の最初に、「英語では、話し手を表す人称代名詞は、代名詞そのものが I-my-me のように変化して、主語や目的語であることを表す。」（栗原ほか (2001c, p. 219)）と述べ、光村図書の国語の教科書では、ここで初めて目的語という言葉が使われています。そしてこの英語の特性は、フランス語やドイツ語にも共通していることを挙げたのち、中国語について触れ、中国語は「語順によって、主語か目的語かが決まっている」としています。例えば、

(11)　我看他。

　　　‘わたしは彼を見た。’　　　　　　　　（栗原ほか（2001c, p. 219））

(12)　他看我。

　　　‘彼は私を見た。’　　　　　　　　　（栗原ほか（2001c, p. 219））

これに対し、栗原ほか（2001c, p. 219）は、日本語に関して、「日本語では、話し手を表す人称代名詞「わたし」は、主語になる場合も、述語や修飾語になる場合も同じである。しかし、その「わたし」が、助詞「を」や「に」を伴って修飾語になり、助詞「だ」を伴って述語になる」と述べています。日本語においては、「目的語」という語の代わりに、「修飾語」という語を使っています。注意深い中学生が、英語の *me* や中国語の（12）における「我」が目的語であると言うなら、日本語の「わたしを」は、修飾語ではなく、目的語と言うのではありませんかと尋ねてきた場合、説得力がある解答を与えることができるでしょうか。

　次に、日本語の述語が文の最後に来る SOV 型の特徴を述べ比較を行っています。本文には、

(13)　英語や中国語の文は、普通「主語＋述語＋目的語」という語順で
　　　構成される。ところが日本語では、普通、主語も目的語も述語の
　　　前にきて、「主語＋目的語＋述語」という順序になる

　　　　　　　　　　　　　　　　　　　　　（栗原ほか（2001c, p. 220））

と書かれています。こちらでは、日本語の語順でも、「目的語」という用語を使って説明しています。

　続いて、高校における漢文の教科書（三角ほか（2000, p. 278））の例を見てみましょう。三角ほか（2000, p. 278）は、高校 1 年生対象の国語の教科書で、これから漢文を学んでいく学生のために、基本的な漢文の文法について説明しています。特に、日本語の SOV 型と、漢文の SVO 型の違いに触れ、訓読の方法について述べています。以下の例を見てくだ

さい。

 (14) 作^ル_レ文_ヲ。   （三角ほか（2000, p. 278））

    '文を作る。'

 (15) 登^ル_レ山_ニ。   （三角ほか（2000, p. 278））

    '山に登る。'

三角ほか（2000, p. 278）は、(14) は「述語＋目的語」、(15) は「述語＋補語」であると述べ、以下の説明をしています。

 (16) 漢文では、目的語や補語は述語の後にくる。目的語とは、動作の
    目的（対象）となる語のこと。「ヲ」と送り仮名をつける。補語と
    は、述語を補足する語のこと。「ニ」「ト」と送り仮名をつける。

               （三角ほか（2000, p. 278））

漢文、すなわち、中国語について述べているものの、日本の国語の教科書で目的語とは何であるかについて説明がなされたのは、初めてであったかもしれません。これが日本語の例であれば、一貫して、(14) の「文を」と (15) の「山に」は、修飾語であると説明されていたはずです。そうすると、再び同じ問題が起きてきます。注意深い高校生が、漢文（中国語）の (14) の「文を」が目的語であると言うなら、対応する日本語の例における「文を」は、修飾語ではなく、目的語と言うのではありませんかと尋ねてきた場合、説得力がある解答を与えることができるでしょうか。

 続いて、同様の例が、安藤ほか（2019, p. 118）の漢文の例に見られます。安藤ほか（2019, p. 118）は、日本語の文法と中国語の文法の同じ点は、主語と述語の語順であると述べる一方、日本語の文法と中国語の文法の異なる点は、目的語と補語、これらをまとめて、補足語と呼ぶが、これらが、中国語においては、述語の後ろに来ることであると述べています。目的語は、他動詞が述語である場合、その目的となる語であり、補語は、

述語の意味を補説する語であると定義されています。以下の例を見てください。

(17)　主語-述語
　　　日ハ暮レテ途ハ遠シ。　　　　　　　　　（安藤ほか (2019, p. 118)）
　　　‘日は暮れて、途は遠し。’

(18)　主語-述語-補足語（目的語）
　　　知者ハ楽レ水ヲ。　　　　　　　　　　　（安藤ほか (2019, p. 118)）
　　　‘知者は、水を楽しむ。’

(19)　主語-述語-補足語（目的語）-補足語（補語）
　　　君子ハ求ニ諸ヲ己ニ。　　　　　　　　　（安藤ほか (2019, p. 118)）
　　　‘君子は、諸を己に求む。’
　　　（「諸」が目的語で、「己」が補語であるという解釈は、著者のものです。）

(17) においては、主語-述語が二回繰り返されています。(18) においては、動詞「楽」（楽しむ）が、補足語（目的語）「水」を取っています。(19) においては、動詞「求」（求める）が、補足語（目的語）「諸」を取り、補足語（補語）「己」を取っています。

　三角ほか (2000) から約20年経過し、安藤ほか (2019) においても、漢文（中国語）には、目的語があることが、日本の高校の国語の教科書に明示されています。ただし、例えば、(18) の「水」が、漢文においては、目的語であるが、日本語においては、目的語であるとは述べられていません。おそらく、日本語においては、「修飾語」であると想定されていると思います。再び同じ問題が起きてきます。注意深い高校生が、漢文（中国語）の (18) の「水」が目的語であると言うなら、対応する日本語の例における「水（を）」は、修飾語ではなく、目的語と言うのではありませんかと尋ねてきた場合、説得力がある解答を与えることができるでしょうか。

続いて、中井・大槻ほか (2018, p. 17) は、漢文（中国語）における目的語と呼ばれるものと補語と呼ばれるものを、まとめて「目的語」と呼んでいます。中井・大槻ほか (2018, p. 17) は、目的語は、述語の次に置かれて、さまざまな意味を補う補足語であると定義しています。そして、「〜を」という意味を表すものを目的語、また、「〜に、〜と、〜より」などの意味を表すものを補語と呼ぶ教科書・教材もあるかもしれないが、中井・大槻ほか (2018) においては、一貫して、これらを「目的語」として扱うと述べています。具体的には、(20) と (21) の例が挙げられています。

(20) 子路弾レ琴ヲ。　　　　　　（中井・大槻ほか (2018, p. 18)）
　　　‘子路が琴を弾く。’

(21) 楚王賜二晏子ニ酒ヲ一。　　　（中井・大槻ほか (2018, p. 18)）
　　　‘楚王が晏子に酒を与えた。’

(20) においては、「琴」が目的語、(21) においては、「酒」と「晏子」が目的語であると書かれています。再び同じ問題が起きてきます。注意深い高校生が、漢文（中国語）の (20) の「琴」が目的語であると言うなら、対応する日本語の例における「琴（を）」は、修飾語ではなく、目的語と言うのではありませんかと尋ねてきた場合、説得力がある解答を与えることができるでしょうか。

　その一方で、浜本・黒川 (2019, p. 9) は、日本語の古文においては、文は、主語、述語、修飾語等からなると明示的に述べています。修飾語の具体例を (22) に示します。

(22) 花を取る。　　　　　　　　（浜本・黒川 (2019, p. 9)）

(22) においては、「花を」が、修飾語です。浜本・黒川 (2019, p. 9) は、(23) の例における修飾語「赤き」と区別するために、

(23)　赤き花　　　　　　　　　　　（浜本・黒川 (2019, p. 9)）

述語を修飾するもの（(22) においては、「花を」）を、連用修飾語、名詞を修飾するもの（(23) においては、「赤き」）を、連体修飾語と呼んでいます。

　高校の古典の時間に、日本の古文を勉強する時には、「〜を」が付いている名詞を修飾語と呼び、中国の漢文を勉強する時には、「〜を」に相当する名詞を目的語、あるいは、補足語と呼びます。なかなか難しいことを学んでいるようです。

　次は、ちょっと視点を変えて、日本の英語の教科書を見てみましょう。1947 年に学校教育法が制定され、中学校が義務教育化されました。1962 年には、中学校において、外国語が選択教科として教えられるようになり、英語、ドイツ語、フランス語、その他の現代の外国語のうち 1 カ国語を第 1 学年から履修するよう定められました。2020 年 4 月には、小学校において、新学習指導要領が実施され、小学 5・6 年で、英語が「教科」となりました。2021 年 4 月からは、中学校において、新学習指導要領が実施されています。以下では、入手できた中学の英語教科書を基に、本書の議論にとって重要な点を見ていきたいと思います。以下では、東京書籍の New Horizon と三省堂の New Crown を例として見ていきます。

　それでは、まず、東京書籍の New Horizon から見ていきます。笠島ほか (2002a, p. 12) に、

(23)　I は「わたしは」、am は「です」にあたる。…「… は」の部分は、
　　　主語という。　　　　　　　　　　　（笠島ほか (2002a, p. 12)）

という記述があり、また、笠島ほか (2002a, p. 26) に、

(24)　like は「… を好む」、play は「… をする」という意味の動詞。
　　　　　　　　　　　　　　　　　　　　（笠島ほか (2002a, p. 26)）

84

という記述があり、主語と動詞という用語が使われています。一方、「目的語」という用語は、笠島ほか (2002a, b, c) においては、一度も使用されていません。

続いて、笠島ほか (2008a, p. 10) では、(23) の表現は、(25) に短縮されています。

(25)　I は「わたしは」、am は「です」にあたる。

(笠島ほか (2008a, p. 10))

その後、笠島ほか (2008a, p. 20) において、「主語」という用語が導入されています。

(26)　A 肯定文　I　　am　　　Shin.（わたしは慎です。）
　　　　　　　　主語　be 動詞　　　（笠島ほか (2008a, p. 20))

同時に be 動詞という用語も導入されています。その後、笠島ほか (2008a, p. 24) において、(24) と同様の記述が見られます。

(27)　like は「... を好む」、play は「... をする」という意味の動詞。

(笠島ほか (2008a, p. 24))

ここまでで、主語と動詞という用語が提示されています。一方、「目的語」という用語は、笠島ほか (2008a, b) においては、一度も使用されていません。ところが、おもしろいことに、笠島ほか (2008c, p. 46) において、初めて導入されています。

(28)　B 名詞の働き「... すること」
　　　I want to play tennis. [（私は、テニスがしたい。）]
　　　　[to play] 動詞の目的語になっている。

　　　I like to read comics.［(私は、コミックを読むのが好きだ。)］
　　　　[to read] 動詞の目的語になっている。

(笠島ほか (2008c, p. 46))

中学3年で、不定詞を学ぶ際に、[to play] などが、動詞 want などの「目的語」になっていることを示しています。おもしろいことに、それ以前に、

(29)　I play tennis.
　　　 '私はテニスをする。'

の tennis が、動詞 play の目的語であるということは、明示的に述べられていません。

　続いて、笠島ほか (2021a, pp. 26-27) では、主語 (S)、動詞 (V)、補語 (C)、目的語 (O) という用語が使用されています。笠島ほか (2002a, b, c) とは全く異なり、目的語という用語が、中学1年生で導入されていることになります。ただし、笠島ほか (2002a, b, c)、笠島ほか (2008a, b, c)、笠島ほか (2021a, b, c) と段階を踏んで、「目的語」という用語が導入されていることがわかります。笠島ほか (2021a, p. 27) においては、

(30)　主語 (S)　　動詞 (V)　　目的語 (O)
　　　 I　　　　　 play　　　　 soccer.　　　(笠島ほか (2021a, p. 27))

という例が見られます。さらにおもしろいのは、笠島ほか (2021a, p. 86) において、「修飾語」という用語が使われていることです。

(31)　主語 (S)　　動詞 (V)　　目的語 (O)　　修飾語
　　　 I　　　　　 play　　　　 soccer　　　　 every day.

(笠島ほか (2021a, p. 86))

国語の教科書では、小学1年から一貫して、日本語においては、主語と動詞以外は、すべて修飾語であると学んできています。中学1年におい

て、初めて、目的語は、修飾語と異なるということを学びます。おそらくは、英語において、という但し書きがあると思いますが。

笠島ほか (2021b, p. 18) においては、英語の 5 文型について学びます。

(32)　1　S　　　V　　　　　　　　　　　Morning came.
　　　　　　主語　動詞

　　　　2　S　　　V　　　C　　　　　　 Kaito is a student.　　　(S = C)
　　　　　　主語　動詞　補語

　　　　3　S　　　V　　　O　　　　　　 I bought an interesting book.
　　　　　　主語　動詞　目的語

　　　　4　S　　　V　　　O　　　O　　 I will show you some pictures.
　　　　　　主語　動詞　目的語　目的語

　　　　5　S　　　V　　　O　　　C　　 We call the dog Pochi. (O = C)
　　　　　　主語　動詞　目的語　補語　　　（笠島ほか (2021b, p. 18)）

笠島ほか (2021c) においても、一貫して、「目的語」という用語が使用されています。

　次は、三省堂の New Crown を見てみたいと思います。まず、斉藤ほか (2008a) を見てみます。斉藤ほか (2008a) の巻末にそれぞれの Lesson ごとの文法のポイントがまとめられています。Lesson 1 では、(33) の例を用い、

(33)　I am Tanaka Kumi.（わたしは田中久美です。）

　　　　　　　　　　　　　　　　　　　　　　（斉藤ほか (2008a, p. 98)）

(34)　文の最初の「〜は（が）にあたる部分を「主語」といいます。

　　　　　　　　　　　　　　　　　　　　　　（斉藤ほか (2008a, p. 98)）

という具合に、「主語」について述べられています。Lesson 3 では、

(35)　状態や動作を表す語を『動詞』といい ...『～を』にあたる語を
　　　『目的語』といいます　　　　　　　　（斉藤ほか (2008a, p. 99)）

と述べられています。斉藤ほか (2008a) において、ここが初めて「目的
語」という用語が出てくる場面です。他には、Lesson 5 で

(36)　he が動詞のあとで目的語として使われるときは him とな [る]
　　　　　　　　　　　　　　　　　　　　（斉藤ほか (2008a, p. 100)）

とあり、さらに、

(37)　I が動詞の後で目的語として使われるときは、me とな [る]
　　　　　　　　　　　　　　　　　　　　（斉藤ほか (2008a, p. 101)）

とあります。
　またこの文法のまとめでは、「動詞の使い方」という題で、動詞に関す
る文法事項がまとめられており、用語こそ出てこないものの自動詞と他動
詞の違いについても触れられています。最初に、

(38)　動詞には、そのあとに目的語がある場合とない場合がある
　　　　　　　　　　　　　　　　　　　　（斉藤ほか (2008a, p. 103)）

と述べ、「目的語が必要な場合」と、「目的語を必要としない場合」に分け
て説明しています。目的語が必要な場合では

(39)　I touch the dog.　　　　　　　　　（斉藤ほか (2008a, p. 103)）

の例を示し、「相手がいないと触れられない」ので、文に触れる相手を示
す必要があることを示唆しています。また、同じ要領で、

(40)　I use this bike.　　　　　　　　　　（斉藤ほか (2008a, p. 103)）

(41)　I have a bag.　　　　　　　　　　　（斉藤ほか (2008a, p. 103)）

88

の例も提示されています。それに対して、目的語を必要としない場合は、

(42)　I walk.　　　　　　　　　　　（斉藤ほか (2008a, p. 103)）

(43)　I walk in the park.　　　　　　（斉藤ほか (2008a, p. 103)）

の二例が提示され、(43) に関しては、動詞の後ろに「こういう説明」(＝
in the park) が付くとしています。

　それぞれ、「目的語が必要な場合」＝他動詞、「目的語を必要としない場
合」＝自動詞、「こういう説明」＝修飾語を意味していますが、斉藤ほか
(2008a) では文法用語を覚えさせるのではなく、文構造をおおまかにと
らえるよう促しています。

　斉藤ほか (2008b, pp. 86-87) は、動名詞を導入する際に、(44) と (45)
の例を示しながら、

(44)　She likes wearing a sari.（彼女はサリーを着るのが好きです。）
　　　　　　　　　　　　　　　　　　　　（斉藤ほか (2008b, p. 86)）

(45)　Reading books is interesting.（本を読むことは楽しいことです。）
　　　　　　　　　　　　　　　　　　　　（斉藤ほか (2008b, p. 87)）

(46)　[(44)] では動名詞が目的語として使われていますが、[(45)] の
　　　ように主語として使われることもあります。
　　　　　　　　　　　　　　　　　　　　（斉藤ほか (2008b, p. 87)）

と述べています。

　斉藤ほか (2008c, p. 90) は、関係節を教える際に、キング牧師の 1963
年のスピーチの背景となる状況を示す例を使いながら、

(47)　There were many things that African-Americans could not do.
　　　（アフリカ系アメリカ人ができないことはたくさんありました。）
　　　　　　　　　　　　　　　　　　　　（斉藤ほか (2008c, p. 90)）

(47) において、

(48)　この that は、主語ではなく do の目的語の働きをしています。

（斉藤ほか (2008c, p. 90)）

と述べています。このように、「目的語」という用語は、斉藤ほか (2008a, b, c) において一貫して使われています。

　最後に、根岸ほか (2021a, b, c) を見てみたいと思います。根岸ほか (2021a, p. 36) は、(49) の例を用い、

(49)　I am Tanaka Hana. [（わたしは田中花です。）]

（根岸ほか (2021a, p. 36)）

(50)　「私（あなた）は … （である）。」と言うときは、＜主語 (I, you) + be 動詞 (am, are) で表します。　（根岸ほか (2021a, p. 36)）

と述べ、「主語」と「be 動詞」について述べています。そして、その同じページで、(51) と (52) の例を提示しながら、

(51)　日本語　私は　ネコを　飼っています。

(52)　英語　　I　　have　a cat.

(53)　日本語では、「… は（主語）」「… を（目的語）」など、助詞で語
　　　句のはたらきを区別するけれど、英語は単語の順番で区別する
　　　よ。　　　　　　　　　　　　　　（根岸ほか (2021a, p. 36)）

と述べています。おもしろいのは、(53) おいて、日本語には、主語と「目的語」が存在することが前提であるように書かれている点です。日本語には、目的語が存在することは、中学1年のこの時点では学ばれていません。（おそらく、その後も、学ばれることはないかもしれません。）

　根岸ほか (2021b, p. 20) は、(54) の例を用い、

(54)　I think (that) <u>the book is interesting.</u> [(その本はおもしろいと思う。)]

　　　[下線部は] 動詞 think の目的語になっている

　　　　　　　　　　　　　　　　　　（根岸ほか (2021b, p. 20)）

名詞だけでなく、文 [(that) the book is interesting] も動詞の「目的語」になると述べています。これは、かなり詳しい「目的語」の説明です。

　最後に、根岸ほか (2021c, pp. 116-117) は、New Crown の 3 年分の文法をまとめる形で、(55) に示すように、英語の「主語＋動詞 …」の文を列挙しています。当然、「目的語」という用語も使用されています。（以下、本章の議論に必要な部分だけを提示します。）

(55)　1.　主語　　　動詞
　　　　　Mr. Brown　sings well.
　　　2.　主語　　　動詞　　　補語
　　　　　Mr. Brown　is　　　a teacher.
　　　3.　主語　　　動詞　　　目的語
　　　　　Mr. Brown　plays　　the guitar.
　　　4.　主語　　　動詞　　　目的語　　　目的語
　　　　　Mr. Brown　teaches　us　　　　an English song.
　　　5.　主語　　　動詞　　　目的語　　　補語
　　　　　Mr. Brown　calls　　me　　　　Tom

　　　　　　　　　　　　　　（根岸ほか (2021c, pp. 116-117)）

　それでは、本章の内容をまとめてみましょう。光村図書の小学校の国語教科書（甲斐ほか (2017a, 2018a)）・中学校の国語教科書（栗原ほか (2001a, b, c)、甲斐ほか (2016, 2017b, 2018b, 2021a, b, c)）、東京書籍の中学校の国語教科書（相澤秀夫ほか 77 名 (2021a, b, c)）においては、一貫して、日本語の文は、大雑把に言えば、(56) における 3 つの要素か

らなるとされています。

(56)　日本語

 a.　主語

 b.　述語

 c.　修飾語

その一方で、高校における国語教科書（三角ほか (2000)、中井・大槻ほか (2018)、安藤ほか (2019)、浜本・黒川 (2019)）においては、漢文（中国語）における文の構成要素は、主語・述語とともに、目的語を含むとされています。副詞的要素をいったん横におくと、(57) のように表現されます。

(57)　漢文（中国語）

 a.　主語

 b.　述語

 c.　目的語

さらに、中学における英語教科書（笠島ほか (2002a, b, c, 2008a, b, c, 2021a, b, c)、斉藤ほか (2008a, b, c)、根岸ほか (2021a, b, c)）においても、英語における文の構成要素は、主語・述語とともに、目的語を含むとされています。補語や副詞的要素をいったん横におくと、(58) のように表現されます。

(58)　英語

 a.　主語

 b.　述語

 c.　目的語

これらの記述でおもしろいのは、日本の小学校国語においては、一度も「目的語」という用語を習っておらず、中学英語において、日本語では「修

飾語」とされたものに対して、「目的語」という用語を使用していること
です。そして、高校における漢文教育において、日本語では「修飾語」と
されたものに対して、「目的語」という用語を使用していることです。そ
して、さらにおもしろいことには、中学以降、ずっと「修飾語」（日本語）
と「目的語」（英語（高校以降は、漢文においても））という用語が、同じ
ものを指しているように見えるにもかかわらず、並行して使用されている
ということです。となると、本章の副題

　　（59）　日本語には、目的語があるの？ないの？

に対する答えは、

　　（60）　日本語には、目的語はない。

ということになりそうです。
　もちろん、すでに述べているように、「主語」や「目的語」は、それ自体
が文法の中の決定的要素というわけではないかもしれないので、日本語に
は目的語がないという結論は、それほど大げさな問題ではないかもしれま
せん。ただ、同じ学生が、同時に日本語、中国語（漢文）、そして、英語
を学んでおり、同じような文中の要素に出くわした場合に、その呼び名が
異なることは、学習者に一定の負担を与えている可能性も否定できませ
ん。
　そこで、次の章では、この負担を軽減するために、いったん、

　　（61）　日本語にも、目的語がある。

と仮定して、あるいは、より丁寧に言うとすれば、

　　（62）　日本語においても、「目的語」という用語を使ってみよう。

として、どのような方法が可能か、考えてみたいと思います。

⑤章　日本語の目的語の問題

言いたいこと：**おぬしもカメレオン！**

　3章において、日本語の「主語」について詳しく見ました。いろいろな助詞をまとって出現するので、まるでカメレオンのようです。本章では、日本語の「目的語」について考えていきたいと思います。日本語において「目的語」という用語を使おうとすると、次から次へとおもしろい問題が現れ、「目的語」も、「主語」同様、カメレオンか！と叫びたくなるかもしれません。なぜ？ それは、日本語の「目的語」も、カメレオンのように、色を変える癖があるからです。つまり、本質は変わらないのに、状況によって体の表面の色を変えるから、一見わかりにくくなっているということです。

　目的語の問題は、実は、述語が、他動詞か自動詞かという問題とほぼ直結しています。

　（1）　他動詞ならば、目的語があり、自動詞ならば、目的語がない。

これは、英語では、おおむね当てはまるかもしれません。英語の構造は、SVO が基本であるので、動詞の右側に現れたものの中から、これだとい

94

うものを探すことができれば、それが目的語となるからです。もちろん、日本語の構造は、SOV で、動詞のすぐ左隣に来たものが目的語であると言えれば、それが一番簡単な、日本語における目的語の定義となります。ところが、日本語には、英語にないものが二つあります。一つは、「が、に、を、の、と、か」などの助詞です。もう一つは、英語と比べると、まあまあ、語順が自由であるということです。この二つの性質を一度に持っている例が、(2) です。

    (2)   たけしが、きよしが好きだ。

この文は、よく考えてみると、2 通りにあいまいです。

    (3)   たけしが、きよしのことが　好きだ。

    (4)   たけしのことが、きよしが　好きだ。

もちろん、一番普通に考えれば、(3) の意味ですが、ちょっと話をおもしろくしてみようという状況では、(4) の意味もありえます。

　そこで、日本語における目的語を決定する作業の一番目として、まずは、3 章の (18) で見た、主語の定義を思い出してみましょう。

    (5)   主語
     a. 文 (単文・埋め込み文・付け足し文) の中で、必要語が一つしかない時、その必要語を主語と呼ぼう。
     b. 文 (単文・埋め込み文・付け足し文) の中で、必要語が二つ以上ある時、その必要語に付いている助詞が、「のはテスト」によって、「が」に置き換えられる必要語を主語と呼ぼう。
     c. ただし、複数の必要語に「が」が付けられる場合は、述語の内容を「する」方と「される」方のうち、する方を主語と呼ぼう。

                                         (3 章 (18))

与えられた文の中に、必要語が二つ以上なければ、目的語は絶対に出てきません。必要語が一つであれば、それは、主語にしかなりえないからです。ということで、まず、「んだってテスト」で、その述語にとっての必要語を決めましょう。仮に、その述語が、「好きだ」であったら、「好きなんだって」と聞けば、

 (6)　誰が、何が？

あるいは、

 (7)　誰が、誰（のこと）が？

と聞き返します。そして、仮に、

 (2)　たけしが、きよしが好きだ。

の例が出てきたら、こう考えましょう。この文の中に、必要語が二つ。そして、(5) の主語の定義にしたがえば、「複数の必要語に「が」が付けられる場合は、述語の内容を「する」方と「される」方のうち、する方を主語と呼ぼう。」とあるので、どちらが「する」方であるかを決めれば、その残りが、「される」方で、これを、目的語と呼ぼうと言えばいいでしょう。そこで、目的語の定義をまず、(8) のようにします。

 (8)　目的語
  a.　文（単文・埋め込み文・付け足し文）の中で、必要語が二つ以上ある時、その必要語に付いている助詞が、「のはテスト」によって、「が」に置き換えられる必要語を主語と呼ぼう。
  b.　ただし、複数の必要語に「が」が付けられる場合は、述語の内容を「する」方と「される」方のうち、される方を目的語と呼ぼう。

(8b) が与えられれば、仮に (2) において、「好く」方が、たけしなら、

「好かれる」方がきよしとなり、この文の目的語は、「きよしが」となります。反対に、仮に (2) において、「好く」方が、きよしなら、「好かれる」方がたけしとなり、この文の目的語は、「たけしが」となります。

　これで、「が」が付いた目的語については、見分け方がわかりました。でも、4章で見た例は、「を」が付いたものを目的語と呼んでいる例ばかりでした。そこで、次に、「を」が付く例を見てみましょう。

　(9)　イチローが、翔平を褒めた。

(8a) によれば、(9) の主語は、「イチローが」です。4章の議論からすると、英語や漢文においては、「翔平を」が目的語です。そこで、目的語の定義を (10) のように変えます。

　(10)　目的語
　　　a.　文（単文・埋め込み文・付け足し文）の中で、必要語が二つ以上ある時、その必要語に付いている助詞が、「のはテスト」によって、「が」に置き換えられる必要語を主語と呼ぼう。
　　　b.　主語以外の「を」が付いた必要語を目的語と呼ぼう。
　　　c.　ただし、複数の必要語に「が」が付けられる場合は、述語の内容を「する」方と「される」方のうち、される方を目的語と呼ぼう。

(8b) を (10c) とし、(10b) を新たに導入したことで、(9) における目的語は、「きよしを」であることになります。(10) の定義によれば、日本語の目的語は、「が」の場合もあれば、「を」の場合もあるということになります。ちょっとカメレオンの「け」が出てきました。

　しかしながら、(10b) の定義を導入すると、牧 (2019) の中で少し触れられた、場所の「を」も、目的語であることになってしまいます。牧 (2019) の中でどういう議論がなされたか、思い出してみましょう。

　牧 (2019) は、(11) のように、目的語の数によって、動詞の種類を三

つに分けようとしました。

(11)　人間言語の動詞の種類

　　a.　自動詞　　　　　　目的語0動詞　例：泣く、咲く、消える

　　b.　他動詞　　　　　　目的語1動詞　例：褒める、食べる、読む

　　c.　目的語二つ他動詞　目的語2動詞　例：あげる、送る、見せる

ただし、すべての日本語の動詞が、「を」を基準に (11) のようにきれい
に区別されるというわけではないとも述べ、以下の例を挙げています。

(12)　自動詞なのに、「を」を取るものがある。

「歩く」、「走る」、「泳ぐ」、「飛ぶ」などの自動詞は、場所の「を」を取るこ
とがあります。例えば、(13) や (14) の例です。

(13)　翔平は、今日、街を歩いた。

(14)　いるかが、海を泳いでいる。

これらの動詞の前には、場所を示す「を」が来ます。ところが、この場所
の「を」は、必ず現れなければならないというわけではないようです。
(15) と (16) を見てください。

(15)　翔平は、健康のために、毎日　歩いている。

(16)　イチローは、健康のために、毎日　プールで　泳いでいる。

これらの文には、場所を示す「を」がありません。そして、それがなくて
も、日本語として正しい文です。というわけで、牧 (2019) は、これらの
動詞は、自動詞であるが、場合によって、目的語の「を」ではなく、場所
の「を」を取っていると考えていいと述べています。

　しかしながら、(10b) が与えられれば、

(10) 目的語

    a. 文（単文・埋め込み文・付け足し文）の中で、必要語が二つ以上ある時、その必要語に付いている助詞が、「のはテスト」によって、「が」に置き換えられる必要語を主語と呼ぼう。

    b. 主語以外の「を」が付いた必要語を目的語と呼ぼう。

    c. ただし、複数の必要語に「が」が付けられる場合は、述語の内容を「する」方と「される」方のうち、される方を目的語と呼ぼう。

(13) と (14) の例の「を」が付いた名詞が必要語であれば、その動詞の「目的語」であることになってしまいます。

この問題に対して、英語からの例がヒントを与えてくれそうです。竹林ほか (2003) によれば、英語においても、動詞 walk や swim は、自動詞でもあり、かつ、他動詞でもあるということです。(17) と (18) は、自動詞としての walk と swim です。

(17) a. He walked barefoot.
      ‘彼は、はだしで歩いた。’

    b. He walked for two miles.
      ‘彼は、2マイル歩いた。’　　　　（竹林ほか (2003, p. 2021)）

(18) a. She swam in the river.
      ‘彼女は、川で泳いだ。’

    b. I swam across the river.
      ‘私は、川を泳いで渡った。’　　　（竹林ほか (2003, p. 1824)）

それに対して、(19) と (20) は、他動詞としての walk と swim です。

(19) a. He walked the country for miles.
      ‘彼はその地方を何マイルも歩き回った。’

b.　The captain walked the deck.

　　'船長は甲板を歩いて見回った。'（竹林ほか（2003, p. 2021））

(20) a.　He swam the Straits of Dover.

　　'彼はドーバー海峡を泳いで渡った。'

b.　She can swim two lengths of the pool.

　　'彼女は、プールを 1 往復泳げる。'

（竹林ほか（2003, p. 1824））

(19a, b) ともに、walk する場所が示されています。(20a, b) においても、swim する場所（あるいは、長さ）が示されています。もちろん、これらがなくても文は成立しますが、名詞がこれらの動詞の直後に来ていることから、竹林ほか（2003）は、これらの動詞は、他動詞であるとし、また、(17a, b) と (18a, b) のように、動詞の直後に、前置詞句や副詞句が来ている場合は、自動詞であるとしています。つまり、より厳密に言えば、こういうことです。

(21) a.　$walk_1$（自動詞）

b.　$walk_2$（他動詞）

(22) a.　$swim_1$（自動詞）

b.　$swim_2$（他動詞）

音声は、同じであるが、異なる内容を持つ動詞が二つあるということです。

　英語も日本語も人間言語であるので、驚くことではないかもしれません。本書では、これらの例を踏まえて、日本語における場所の「を」を取る動詞も、以下のように考えていこうと思います。

(23) a.　歩く$_1$（自動詞）

b.　歩く$_2$（他動詞）

(24) a. 泳ぐ₁（自動詞）

    b. 泳ぐ₂（他動詞）

そうなると、（13）と（14）は、他動詞を、（15）と（16）は、自動詞を
持っているということになります。

(13) 翔平は、今日、街を歩いた。

(14) いるかが、海を泳いでいる。

(15) 翔平は、健康のために、毎日　歩いている。

(16) イチローは、健康のために、毎日　プールで　泳いでいる。

「んだってテスト」では、明確に出ないことがあるかもしれませんが、人
によっては、「翔平が今日歩いたんだって」と聞いたら、つい、「どこを」
と聞き返してしまう人がいるかもしれません。そうであるなら、その人の
頭の中では、明らかに動詞「歩く」が他動詞として機能していると言えそ
うです。

　ということで、現時点では、場所の「を」は、実際に他動詞の目的語に
なりうると仮定しておき、今後、この考えが正しいかどうか継続して見て
いきたいと思います。

　ここまで、「が」が付いた目的語と「を」が付いた目的語を見てきまし
た。では、これから、「の」が付いた目的語を見ていきたいと思います。
だんだん、目的語のカメレオン性が見えてくるようです。次の例を見てく
ださい。

(25) 翔平のバナナの食べ方は、見事だ。

(25)においては、「が」も「を」も出てきません。出てきているのは、「の」
だけです。では、まず、「食べる」に関して、「んだってテスト」を行い、
何が必要語か見てみましょう。

(26)　食べたんだって。

(27)　誰が、何を？

ということで、(25) における必要語は、「翔平」と「バナナ」だということがわかります。それがわかったところで、(10a) にしたがって、「のはテスト」を行ってみましょう。

(10)　目的語
　　　a.　文（単文・埋め込み文・付け足し文）の中で、必要語が二つ以上ある時、その必要語に付いている助詞が、「のはテスト」によって、「が」に置き換えられる必要語を主語と呼ぼう。
　　　b.　主語以外の「を」が付いた必要語を目的語と呼ぼう。
　　　c.　ただし、複数の必要語に「が」が付けられる場合は、述語の内容を「する」方と「される」方のうち、される方を目的語と呼ぼう。

(28)　翔平がバナナを食べたのは、本当だ。

(29)　*翔平がバナナが食べたのは、本当だ。

(28) と (29) のコントラストから、(28)/(29) の文の主語は、「翔平が」であることがわかります。同時に、(10b) によって、「バナナを」が目的語であることがわかります。このことから、(25) において、「バナナの」が目的語の機能を果たしているということがわかります。そこで、(10)を (30) のように修正します。

(30)　目的語
　　　a.　文（単文・埋め込み文・付け足し文）の中で、必要語が二つ以上ある時、その必要語に付いている助詞が、「のはテスト」によって、「が」に置き換えられる必要語を主語と呼ぼう。

102

b. 主語以外の「を」・「の」が付いた必要語を目的語と呼ぼう。

c. ただし、複数の必要語に「が」が付けられる場合は、述語の内容を「する」方と「される」方のうち、される方を目的語と呼ぼう。

ということで、日本語の目的語は、「が」、「を」、「の」が付いた必要語であるということがわかってきました。

次は、「と」が付いた目的語を見ていきたいと思います。次の例を見てください。3章で見たものです。

(31)　たけしは、[イチローが翔平を褒めたと] 思った。

3章では、(31) における [...] の部分を、埋め込み文と言うと述べています。この [...] の部分は、もしなくなると、

(32)　*たけしは、思った。

となり、何かが足りないと感じられます。そうなると、(31) の [...] で示された埋め込み文は、動詞「思う・思った」が絶対必要とする、必要語です。[...] は、語というよりは、埋め込み文ですが、話を簡単にするために、必要語と呼んでおきます。そして、「のはテスト」を使って、(31) では、どの要素が主語であるか見てみましょう。

(33)　たけしが、[イチローが翔平を褒めたと] 思ったのは、本当だ。

(34)　*たけしが、[イチローが翔平を褒めたが] 思ったのは、本当だ。

(34) は、「と」を「が」に変えてみました。まったくおかしな文になってしまいました。ということで、(31) の文の主語は、「たけしは」となります。そして、もう一つ、必要語が残っています。それは、「イチローが翔平を褒めたと」です。これは、(30) の定義によると、いったい何になるんでしょうか？実は、何にも当てはまらないことがわかります。しかし、

必要語で、主語でないのであるから、(30b) を少し修正して、目的語としても、それほど大きい問題が起きるとは思えません。では、そうしてみましょう。

(35)　目的語
　　a.　文（単文・埋め込み文・付け足し文）の中で、必要語が二つ以上ある時、その必要語に付いている助詞が、「のはテスト」によって、「が」に置き換えられる必要語を主語と呼ぼう。
　　b.　主語以外の「を」・「の」・「と」が付いた必要語を目的語と呼ぼう。
　　c.　ただし、複数の必要語に「が」が付けられる場合は、述語の内容を「する」方と「される」方のうち、される方を目的語と呼ぼう。

(35b) に、「と」を足してみました。これで、(31) における「と」が付いている埋め込み文も目的語であることになりました。
　続いて、「か」が付いた目的語を見ていきたいと思います。次の例を見てください。(31) を少し変えました。

(36)　たけしは、[イチローが誰を褒めたか] 知っている。

(36) における [...] の部分も、埋め込み文です。もし [...] の部分がなくなると、

(37) *たけしは、知っている。

となり、何かが足りないと感じられます。そうなると、(36) の [...] で示された埋め込み文は、動詞「知っている」が絶対必要とする、必要語です。それでは、「のはテスト」を使って、(36) では、どの要素が主語であるか見てみましょう。

(38)　たけしが、[イチローが誰を褒めたか]知っているのは、本当だ。

(39)　*たけしが、[イチローが誰を褒めたが]知っているのは、本当だ。

(39) は、「か」を「が」に変えてみました。まったくおかしな文になって
しまいました。（方言によっては、「か」と「が」の音声的区別がそれほど
はっきりしていない方言もありますが、(39) の埋め込み文は、全体とし
て疑問を示しており、その解釈において、(39) がおかしいという意味で
す。）ということで、(36) の文の主語は、「たけしは」となります。そし
て、もう一つ、必要語が残っています。それは、「イチローが誰を褒めた
か」です。再び、これは、(35) の定義によると、いったい何になるんで
しょうか？　実は、何にも当てはまりません。しかし、必要語で、主語で
ないのであるから、(35b) を少し修正して、目的語としても、それほど大
きい問題にはなりません。では、(35b) を修正してみましょう。

(40)　目的語
　　　a.　文（単文・埋め込み文・付け足し文）の中で、必要語が二つ以
　　　　　上あ　る時、その必要語に付いている助詞が、「のはテスト」
　　　　　に　　よって、「が」に置き換えられる必要語を主語と呼ぼう。
　　　b.　主語以外の「を」・「の」・「と」・「か」が付いた必要語を目的
　　　　　語と呼ぼう。
　　　c.　ただし、複数の必要語に「が」が付けられる場合は、述語の内
　　　　　容を「する」方と「される」方のうち、される方を目的語と呼
　　　　　ぼう。

(40b) に、「か」を足してみました。これで、(36) における「か」が付い
ている埋め込み文も目的語であることになりました。
　同様のことが、「かどうか」で終わる yes/no 疑問文の (41) にも当ては
まります。

(41)　たけしは、[イチローが翔平を褒めた<u>かどうか</u>] 知っている。

(41) の埋め込み文は、(36) の埋め込み文とほぼ同じ機能を持っているので、動詞「知っている」の目的語であると解釈して問題ありません。そこで、(40) を少し修正して、(42) にしました。

(42)　目的語

 a.　文（単文・埋め込み文・付け足し文）の中で、必要語が二つ以上ある時、その必要語に付いている助詞が、「のはテスト」によって、「が」に置き換えられる必要語を主語と呼ぼう。

 b.　主語以外の「を」・「の」・「と」・「か」・「かどうか」が付いた必要語を目的語と呼ぼう。

 c.　ただし、複数の必要語に「が」が付けられる場合は、述語の内容を「する」方と「される」方のうち、される方を目的語と呼ぼう。

(42b) に、「かどうか」を足してみました。これで、(41) における「かどうか」が付いている埋め込み文も目的語であることになりました。

　ここまで、日本語の目的語は、「が」、「を」、「の」、「と」、「か」、「かどうか」が付いた必要語であるということがわかってきました。確かに、主語も、「が」、「の」、「に」、「を」が付いた必要語であるので、日本語の主語も目的語も、カメレオンのように変化するようです。もちろん、「は」、「も」、「さえ」、「だけ」などが付いた必要語も、日本語の主語と目的語になります。ただ、これらの語は、多くの場合、「が」と「を」の上に覆いかぶさって、それらを見えなくする力を持っていますが、例えば、以下の例でみるように、その他の語に対しては、その上に覆いかぶさることができません。

(43)　たけしは、[イチローが翔平を褒めたと] は　思った。

(44) *たけしは、[イチローが翔平を褒めた　]は　思った。

(45)　たけしは、[イチローが翔平を褒めたと]も　思った。

(46) *たけしは、[イチローが翔平を褒めた　]も　思った。

(47)　たけしは、[イチローが翔平を褒めたと]さえ　思った。

(48) *たけしは、[イチローが翔平を褒めた　]さえ　思った。

(49)　たけしは、[イチローが翔平を褒めたと]だけ　思った。

(50) *たけしは、[イチローが翔平を褒めた　]だけ　思った。

ということで、以下では、これらの語は、主語と目的語の直接の関係者とみなさず、横において話を進めていきます。

　さて、以下で、目的語がまだまだ変化する様子を見ていきたいと思います。最後に、「に」について見てみましょう。以下の話は、これまでより、幾分複雑になっています。(日本語の「に」の詳しい性質については、Kuroda (1965)、Miyagawa (1989)、Sadakane and Koizumi (1995) を参照してください。)

　まずは、動詞「上る」から見ていきましょう。「上る」は、ある時は、「を」を取り、またある時は、「に」を取る動詞です。以下の例を見てください。

(51)　翔平は、屋根に上った。

(52)　翔平は、非常階段を上った。

もし、「を」と「に」を入れ替えると、少し違和感が出てきます。

(53) *翔平は、屋根を上った。

(54) *翔平は、非常階段に上った。

これらの例は、動詞「上る」は、「を」を取る時は、場所や経路を表し、「に」を取る時は、その物体の頂上を表していることを示しています。また、(55) だけでは、

(55) *翔平は、上った。

非文であることから、必ず、「を」か「に」を取る必要があります。となると、ちょっとどこかで聞いたような話だなと思えてきます。そうです。「歩く」や「泳ぐ」です。上で見たように、「を」を取る場合もあれば、何も取らない場合もあります。

(13)　翔平は、今日、街を歩いた。

(14)　いるかが、海を泳いでいる。

(15)　翔平は、健康のために、毎日　歩いている。

(16)　イチローは、健康のために、毎日　プールで　泳いでいる。

これらの例と、対応する英語の例から、以下のように結論づけました。「歩く」や「泳ぐ」は、音声は、同じであるが、(23) と (24) で示すように、異なる内容を持つ動詞が二つ存在しているということです。

(23) a.　歩く$_1$（自動詞）
　　　 b.　歩く$_2$（他動詞）

(24) a.　泳ぐ$_1$（自動詞）
　　　 b.　泳ぐ$_2$（他動詞）

そうなると、(13) と (14) は、他動詞を、(15) と (16) は、自動詞を持っているということになります。

　動詞「上る」にも、これと似たようなことが起きていると言えます。つまり、

(56) a. 上る₁（他動詞）「を」を取る

b. 上る₂（他動詞）「に」を取る

という具合です。「上る」は、必ず、「を」か「に」のどちらかを取らなければなりません。

さて、(42) の定義に従えば、

(42) 目的語

a. 文（単文・埋め込み文・付け足し文）の中で、必要語が二つ以上ある時、その必要語に付いている助詞が、「のはテスト」によって、「が」に置き換えられる必要語を主語と呼ぼう。

b. 主語以外の「を」・「の」・「と」・「か」・「かどうか」が付いた必要語を目的語と呼ぼう。

c. ただし、複数の必要語に「が」が付けられる場合は、述語の内容を「する」方と「される」方のうち、される方を目的語と呼ぼう。

「上る」が「を」を取る場合、それは、目的語だということになります。つまり、(56a) の「上る₁」のケースです。一方、「上る」が「に」を取る場合、(42) によれば、それは、目的語ではないということになります。つまり、(56b) の「上る₂」のケースです。(42b) には、「に」が含まれていないらです。しかしながら、「を」も「に」もともに「上る」の必要語であるので、「を」だけを「上る」の目的語あるとすると、なぜ、「に」はそうでないのかという問いが出てきます。そこで、(42) を次のように修正します。

(57) 目的語

a. 文（単文・埋め込み文・付け足し文）の中で、必要語が二つ以上ある時、その必要語に付いている助詞が、「のはテスト」によって、「が」に置き換えられる必要語を主語と呼ぼう。

b. 主語以外の「を」・「の」・「に」・「と」・「か」・「かどうか」が付いた必要語を目的語と呼ぼう。

c. ただし、複数の必要語に「が」が付けられる場合は、述語の内容を「する」方と「される」方のうち、される方を目的語と呼ぼう。

(57b) に、「に」を足しました。これで、(51) における「屋根に」も「のぼる」の目的語であることになりました。

　このように目的語の定義を変更すると、「に」が必要語となっている同様の例が、目的語を持つことになります。具体的には、以下の例です。

(58)　翔平は、富士山に登った。

(59)　翔平は、馬に乗った。

(60)　翔平は、イチローに会った。

(61)　翔平は、イチローに、リンゴをあげた。

おもしろいことに、英語の対応する例も、目的語を持っています。

(62)　Mary climbed Mt. Fuji.
　　　'メアリーは、富士山に登った。'

(63)　Mary rode a horse.
　　　'メアリーは、馬に乗った。'

(64)　Mary met Susan.
　　　'メアリーは、スーザンに会った。'

(65)　Mary gave Susan an apple.
　　　'メアリーは、スーザンにりんごをあげた。'

(62)-(64) では、名詞が、動詞の直後に来ており、これらは、英語においても目的語と呼ばれます。(65) においては、動詞の直後に置かれている名詞 *Susan* は、間接目的語と呼ばれています。

また、日本語の

(51)　翔平は、屋根に上った。

(52)　翔平は、非常階段を上った。

に対応する例は、英語では、以下のようになります。

(66)　Mary climbed the roof.
　　　'メアリーは、屋根に上った。'

(67)　Mary climbed the emergency stairs.
　　　'メアリーは、非常階段を上った。'

どちらも、動詞 climbed の直後に名詞が現れ、これらは、英語においても、目的語と呼ばれます。したがって、(57) のように、「に」を目的語の定義に組み込むことは、それほど的外れではないかもしれません。

　ただし、次の点は、問題として残しておきたいと思います。英語のこれらの動詞は、他動詞として目的語を取るだけでなく、自動詞として、その後ろに前置詞句 [...] を取ることもできます。

(68)　Mary climbed [to the top of the mountain].
　　　'メアリーは、山の頂上に登った。'

(69)　Mary rode [on her father's shoulders].
　　　'メアリーは、父親の肩に乗った。＝メアリーは、父親に肩車をしてもらった。'
　　　　　　　　　　　　　　　　　　　　　　（竹林ほか (2003, p. 1541)）

(70)　Mary met [with Susan].

　　　'メアリーは、スーザンと会った。'

(71)　Mary gave an apple [to Susan].

　　　'メアリーは、リンゴをスーザンにあげた。'

日本語においては、動詞「上る」は、「を」と「に」を取ることができますが（(51) と (52)）、動詞「乗る」については、その唯一の目的語に、また、動詞「あげる」については、英語において間接目的語と呼ばれるものに、「に」しか取ることができません。

(59)　翔平は、馬に乗った。

(72) *翔平は、馬を乗った。

(61)　翔平は、イチローに、リンゴをあげた。

(73) *翔平は、イチローを、リンゴをあげた。

動詞「会う」は、「に」と「と」を取りますが、「を」を取ることができません。

(60)　翔平は、イチローに会った。

(74)　翔平は、イチローと会った。

(75) *翔平は、イチローを会った。

動詞「登る」は、「に」を取りますが、「を」を取ることができません。

(58)　翔平は、富士山に登った。

(76) *翔平は、富士山を登った。

ただし、現在進行形にし、「山」が最終到着点ではなく、途中の場所であ

るという解釈であれば、「を」が可能であると判断する人がいるかもしれません。(77) の (*) は、日本語として問題ないと判断する人もいれば、そうではない人もいるということを意味しています。

(77) (*)翔平は、今、山を　登っている。

これらの例は、日本語と英語において、特定の動詞が「を」を取るか、「に」を取るか、「と」を取るか、あるいは、その中のどれを取るかについては、微妙に差があることを示しており、なぜそうであるかについては、さらに調査が必要であることを示しています。

さて、(57) において、目的語の定義に、「に」を入れましたが、「に」が入ると、おもしろい問題が二つ出てきます。

(78)　目的語の問題
　　　a.　方向の「に」
　　　b.　場所の「に」

つまり、(57) によって、例えば、以下の文の「に」が、

(58)　翔平は、富士山に登った。

(59)　翔平は、馬に乗った。

(60)　翔平は、イチローに会った。

目的語であるとしたら、以下の文の必要語としての「に」は、動詞の目的語であるかどうかという問題が生じるのです。

(79)　きよしが、山形に帰った。

(80)　きよしが、山形に行った。

(81)　公園に、池がある。

(82)　池に、鯉がいる。

(79) と (80) は、方向を示す語 [... に] を持った文、(81) と (82) は、場所を示す語 [... に] を持った文で、この [... に] は、これらの例において、すべて必要語です。これらがなければ、何かが足りない文となってしまいます。

(83) *きよしが、帰った。

(84) *きよしが、行った。

(85) *池がある。

(86) *鯉がいる。

(83)-(86) を聞けば、必ず、「どこに？」と聞き返されます。つまり、方向を示す語と場所を示す語が足りないのです。したがって、これらの語が、必要語だというわけです。

では、これらの方向と場所の「に」を、例えば、(58)-(61) の「に」と同じように、目的語と呼んでもいいでしょうか？

(58)　翔平は、富士山に登った。

(59)　翔平は、馬に乗った。

(60)　翔平は、イチローに会った。

(61)　翔平は、イチローに、リンゴをあげた。

一つの回答は、「いい」です。必要語の「に」なら、目的語と呼んでおけばいい。そういう考え方があってもいいと思います。もう一つの回答は、「ちょっと待ってくれ」です。(79)-(82) の「に」と (58)-(61) の「に」の性質が、均一なら、すべての必要語の「に」を、目的語と呼んでもいい

が、もし、なんらかのテストによって、それほど均一でもないなというこ
とになれば、ちょっと同じ目的語と呼ぶのは、現時点では避けておいた方
がいいんじゃないか。そういう考えです。

　本書では、最初の回答でもまったくかまいませんが、もし、何らかのテ
ストによって、(79)–(82) の「に」と (58)–(61) の「に」の性質に相違が
発見されれば、それらは、異なるものであるとし、(58)–(61) の「に」の
方だけを、目的語であるとしておきたいと思います。

　それでは、まずは、方向の「に」から見てみましょう。日本語には、方
向を表す助詞には、「に」と「へ」があります。具体的には、

(79)　きよしが、山形に帰った。

(87)　きよしが、山形へ帰った。

という具合に、どちらを使ってもかまいません。人によっては、「に」を
使うと、より具体的な場所に、また、「へ」を使うと、だいたいそちら方
面へという意味があるように感じるかもしれません。その差に関しては、
今は問題にせず、「に」でも「へ」でも日本語として問題ないか調査してい
きたいと思います。この「に」と「へ」を使うテストを、本書では、「にへ
テスト」と呼びます。(「にへテスト」についての詳細は、Miyagawa and
Tsujioka (2004) を参照してください。) では、この「にへテスト」を、
(80) にも行ってみましょう。

(80)　きよしが、山形に行った。

(88)　きよしが、山形へ行った。

どちらも問題ないと思います。では、動詞「来た」はどうでしょうか？

(89)　きよしが、東京に来た。

　(90)　きよしが、東京へ来た。

これも、どちらも問題ないと思います。

　それでは、今から、この「にへテスト」をこれまで目的語だと言われて
きた「に」に行ってみたいと思います。

　(58)　　翔平は、富士山に登った。

　(91) (*)翔平は、富士山へ登った。

　(59)　　翔平は、馬に乗った。

　(92)　*翔平は、馬へ乗った。

　(60)　　翔平は、イチローに会った。

　(93)　*翔平は、イチローへ会った。

　(61)　　翔平は、イチローに、リンゴをあげた。

　(94) (*)翔平は、イチローへ、リンゴをあげた。

(91)の「へ登った」は、良く聞こえる人もいれば、何か少し違和感があ
るという人もいるかもしれません。(92)の「へ乗った」は、なんだか違
和感があります。(93)の「へ会った」は、日本語としては、逸脱してい
るような感じです。(94)の「へ…あげた」は、良く聞こえる人もいれば、
何か少し違和感があるという人もいるかもしれません。

　これらの判断は、現時点では、微妙であるので、厳密な結論を引き出す
ことは難しいかもしれませんが、「にへテスト」は、「へ」が問題ない例は、
明らかに「方向」を示し、「へ」を使うと違和感が出る例は、「単なる方向」
ではなく、「方向とともに別の何らかの意味」があるようです。本書では、
この「にへテスト」で違和感が出ないものを「後置詞句」(名詞句と後置詞
「に」が合わさり、より大きな「後置詞句」を形成していると考えてくださ

い）と呼んで、目的語（名詞句に「に」や「を」がちゃっかりくっ付き、ただの名詞句と同じ働きをしていると考えてください）と区別したいと思います。この区別が本当に正しいかどうかは、今後のさらなる調査を待ちたいと思います。

　続いて、場所の「に」を見てみましょう。場所の「に」を目的語の「に」と区別するテストは、「数字テスト」と言います。（「数字テスト」の詳細については、Miyagawa（1989）を参照してください。）日本語の数字は、まあまあおもしろい行動をします。簡単に言うと、結構、うろうろします。例えば、以下の例を見てください。

　（95）　3人の学生が　『新しい道徳』という本を読んだ。

　（96）　学生が　3人　『新しい道徳』という本を読んだ。

（95）においては、「3人の学生が」が一つのまとまりになっています。（96）においては、そのまとまりから、「3人」が右方向に持っていかれて、それでもなお、この文は、正しい文です。これが数字がうろうろしているということです。（95）の「3人の学生が」は、この文の主語です。ですから、「数字テスト」は、日本語の数字は、主語から離れてうろうろできるということを示してくれています。では、目的語は、どうでしょうか？

　（97）　たけしが　3人の学生を　褒めた。

　（98）　たけしが　学生を　3人　褒めた。

（97）においては、「3人の学生を」が一つのまとまりになっています。（98）においては、そのまとまりから、「3人」が右方向に持っていかれて、それでもなお、この文は、正しい文です。（97）の「3人の学生を」は、この文の目的語であるので、「数字テスト」によって、日本語の数字は、目的語からも離れてうろうろできるということがわかります。では、主語と目的語ではない場合は、どうなるでしょうか？

(99)　『新しい道徳』という本は、3人の学生によって　読まれた。

(100)　*『新しい道徳』という本は、学生によって　3人　読まれた。

(99) においては、「3人の学生によって」が一つのまとまりになっています。(100) においては、そのまとまりから、「3人」が右方向に持っていかれ、その結果、この文が、まったくわけのわからない文になっています。(99) の「3人の学生によって」は、主語でも目的語でもなく、言ってみれば、後置詞句になっています。すると、「数字テスト」は、日本語の数字は、後置詞句から離れてうろうろすることはできないということを示してくれています。

　それでは、この「数字テスト」を使って、場所の「に」の性質を探ってみましょう。まずは、存在文から見ていきましょう。

(101)　3つの公園に、池がある。

(102) *公園に　3つ、池がある。

(101) においては、「3つの公園に」が一つのまとまりになっています。(102) においては、そのまとまりから、「3つ」が右方向に持っていかれ、その結果、この文が、(101) と同じ意味だと仮定すると、まったくわけのわからない文になっています。すると、「数字テスト」は、日本語の数字は、場所句から離れてうろうろすることはできないということを示してくれています。もう一組の例を見てみましょう。

(103)　3つの池に、鯉がいる。

(104) *池に、3つ　鯉がいる。

(103) においては、「3つの池に」が一つのまとまりになっています。(104) においては、そのまとまりから、「3つ」が右方向に移動し、その結果、この文が、(103) と同じ意味だと仮定すると、まったくわけのわか

らない文になっています。このことから、再度、日本語の数字は、場所句
から離れてうろうろすることはできないということがわかります。

　それでは、続いて、存在文ではない例に、「数字テスト」を行ってみま
しょう。まずは、動詞「登る」を持つ文から。

（105）　翔平は、今月、3つの山に　登った。

（106）　翔平は、今月、山に　3つ　登った。

（105）においては、「3つの山に」が一つのまとまりになっています。
（106）においては、そのまとまりから、「3つ」が右方向に持っていかれ
ています。どうでしょう。この文が、（105）と同じ意味だと仮定しても、
全く問題ありません。このことから、日本語の数字は、動詞「登る」のよ
うな非存在文の目的語から離れてうろうろすることができるということが
わかります。次は、動詞「乗る」を持つ文を見てみましょう。

（107）　翔平は、今月、3頭の馬に　乗った。

（108）　翔平は、今月、馬に　3頭　乗った。

（107）においては、「3頭の馬に」が一つのまとまりになっています。
（108）においては、そのまとまりから、「3頭」が右方向に移動していま
す。この文が、（107）と同じ意味だと仮定しても、全く問題ありません。
このことから、再度、日本語の数字は、動詞「乗る」のような非存在文の
目的語から離れてうろうろすることができるということがわかります。続
いて、動詞「会う」を持つ文を見てみましょう。

（109）　翔平は、今月、3人の学生に　会った。

（110）　翔平は、今月、学生に　3人　会った。

(109) においては、「3 人の学生に」が一つのまとまりになっています。
(110) においては、そのまとまりから、「3 人」が右方向に移動していま
す。この文が、(109) と同じ意味だと仮定しても、やはり、全く問題あり
ません。このことから、再度、日本語の数字は、動詞「会う」のような非
存在文の目的語から離れてうろうろすることができるということがわかり
ます。最後に、動詞「あげる」を持つ文を見てみましょう。

(111)　翔平は、今月、3 人の学生に　リンゴをあげた。

(112)　翔平は、今月、学生に　3 人　リンゴをあげた。

(111) においては、「3 人の学生に」が一つのまとまりになっています。
(112) においては、そのまとまりから、「3 人」が右方向に移動していま
す。この文が、(111) と同じ意味だと仮定してみましょう。(112) は、良
く聞こえる人もいれば、何か少し違和感があるという人もいるかもしれま
せん。ただし、(111) と (112) に間の差は、(103) と (104) の差ほど大
きくはありません。

(103)　3 つの池に、鯉がいる。

(104) *池に、3 つ　鯉がいる。

このことから、やはり、日本語の数字は、動詞「あげる」のような非存在
文の目的語から離れてうろうろすることができるということがわかりま
す。
　これらの例は、「数字テスト」は、存在文においては、「に」を超えて数
字が右方向に移動する際に明らかな問題がり、非存在文においては、「に」
を超えて数字が右方向に移動する際にはまったく問題がないことを示して
います。つまり、存在文の「に」と非存在文、つまり、「に」目的語を取る
文の「に」は、性質がまったく異なるということを示しています。そこで、
本書では、存在文の「に」は、その動詞の目的語ではないと仮定したいと

思います。

　ここまで提示された例を見てみると、目的語は、カメレオンのようなもので、さまざまな助詞とともに現れることができ、結果的に、ほとんどのものが目的語になれる一方で、目的語になれないものは、「方向」を示す「に」と「場所」を示す「に」であることがわかります。そこで、(57) を (113) のように修正してみようと思います。

(57)　目的語

    a.　文（単文・埋め込み文・付け足し文）の中で、必要語が二つ以上ある時、その必要語に付いている助詞が、「のはテスト」によって、「が」に置き換えられる必要語を主語と呼ぼう。

    b.　主語以外の「を」・「の」・「に」・「と」・「か」・「かどうか」が付いた必要語を目的語と呼ぼう。

    c.　ただし、複数の必要語に「が」が付けられる場合は、述語の内容を「する」方と「される」方のうち、される方を目的語と呼ぼう。

(113)　目的語

    a.　文（単文・埋め込み文・付け足し文）の中で、必要語が二つ以上ある時、その必要語に付いている助詞が、「のはテスト」によって、「が」に置き換えられる必要語を主語と呼ぼう。

    b.　主語と「方向・場所」の「に」以外の必要語を目的語と呼ぼう。

    c.　ただし、複数の必要語に「が」が付けられる場合は、述語の内容を「する」方と「される」方のうち、される方を目的語と呼ぼう。

　本章で、ひとまず、目的語を定義したので、それをもとに、動詞における自動詞と他動詞を定義することも可能になります。

(114) a.　他動詞

　　　　目的語を持つもの

　　　b.　自動詞

　　　　目的語を持たないもの

　次の章では、動詞から形容詞に目を転じ、文法にとっての必要な区別の新たな側面を見ていきたいと思います。

6章　日本語の形容詞の問題

言いたいこと：活用か環境か

　これまで、動詞とその必要語を中心に見てきました。本章では、形容詞を中心に見ていきたいと思います。より具体的に言うと、形容詞と副詞の問題について見ていきたいと思います。

　日本語の特徴は、述語が「活用」することです。例えば、動詞「走る」は、以下のように活用します。

　(1)　動詞の活用

　　　a.　走　らない　　　未然形
　　　b.　走　ります　　　連用形
　　　c.　走　る　　　　　終止形
　　　d.　走　る時　　　　連体形
　　　e.　走　れば　　　　仮定形
　　　f.　走　れ　　　　　命令形

(1) では、「らりるるれれ」と、動詞の形が変わっています。これを活用と言います。

　おもしろいことに、日本語は、形容詞も活用します。例えば、形容詞

122

「美しい」は、以下のように活用します。

　　(2)　形容詞の活用
　　　　a.　美し　かろう　　　　未然形
　　　　b.　美し　く・かっ　　　連用形
　　　　c.　美し　い　　　　　　終止形
　　　　d.　美し　い時　　　　　連体形
　　　　e.　美し　ければ　　　　仮定形

(2)では、「かくいいけ」と活用しています。
　また、日本語には、形容動詞という品詞もあり、これも活用します。例えば、形容動詞「静かだ」は、以下のように活用します。

　　(3)　形容動詞の活用
　　　　a.　静か　だろう　　　　　未然形
　　　　b.　静か　に・で・だっ　　連用形
　　　　c.　静か　だ　　　　　　　終止形
　　　　d.　静か　な時　　　　　　連体形
　　　　e.　静か　ならば　　　　　仮定形

(3)では、「だにだなな」という具合に活用しています。
　これらの事実から、日本語の特徴は、述語が活用することであることが浮かび上がり、その結果、国語の教科書においては、少なくとも、この20年は、一貫して、以下に見られる品詞のグループ分けが想定されてきました。「活用すること」が「活用しないこと」と大きく区別されています。

(4) 品詞分類表

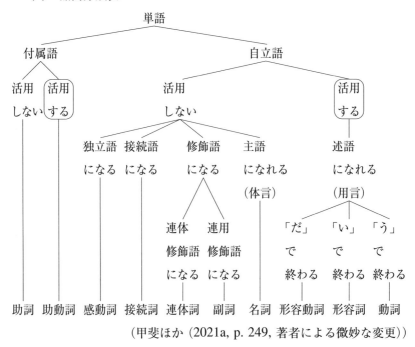

（甲斐ほか (2021a, p. 249, 著者による微妙な変更)）

光村図書の中学国語教科書（甲斐ほか (2021a, b, c)）と東京書籍の中学国語教科書（相澤ほか (2021a, b, c)）には、(4) のような品詞の分類が掲載されています。20 年前の光村図書の中学国語教科書（栗原 (2001a, b, c)）にも、(4) とほぼ同様の品詞の分類が提示されています。栗原 (2001) は、(4) より一つ品詞の数が多く、名詞が、名詞と代名詞に分割されています。いずれにせよ、少なくともこの 20 年間は、ほぼ (4) の品詞の分類が想定されています。

　中学 1 年から 3 年の国語で、(4) を習います。では、中学 1 年から 3 年の英語では、品詞について、何を学ぶでしょうか？ 笠島ほか (2021a, b, c) と根岸ほか (2021a, b, c) においては、(5) にリストした品詞を学びます。

(5)　品詞（英語）

    a.　冠詞

    b.　名詞

    c.　代名詞

    d.　動詞

    e.　助動詞

    f.　形容詞

    g.　副詞

    h.　前置詞

    i.　接続詞

    j.　間投詞

(4) と (5) は、日本語と英語の品詞の違いを教えてくれます。こちらにあって、あちらにない、あちらにあって、こちらにない。そういうことです。しかし、それ以上に (4) と (5) が教えてくれていることがあります。それは、日本語における品詞の分類には、「活用」があるかないかが決定的であるということです。英語においては、そのような観点から品詞を分類しているという記述は見当たりません。

　それでは、ここで、活用する品詞の一つの「形容詞」を例にとって、国語の教科書においては、いったい何が形容詞なのか確認しておきたいと思います。実は、(2) そのものです。

(2)　形容詞の活用

    a.　美し　かろう　　　　未然形

    b.　美し　く・かっ　　　連用形

    c.　美し　い　　　　　　終止形

    d.　美し　い時　　　　　連体形

    e.　美し　ければ　　　　仮定形

形容詞「美しい」は、「かくいいけ」と活用し、「い」で終わり、かつ、(6)
で示すように、述語になれるからです。

(6)　この馬は、美しい。

さらに、「美しい」は、活用し、連用形として、述語を修飾することもで
きます。(7) の例です。

(7)　この馬は、美しく走る。

(7) において、「美しく」は、形容詞「美しい」の連用形であるので、その
品詞は、「形容詞」のままです。「?」と感じられた方がいるかもしれませ
ん。そんな方のために、(8) の例を見てみましょう。

(8)　この馬は、ゆっくり走る。

「ゆっくり」って何だ？「ゆっくり」は、

(9)　「ゆっくり」の仮想的活用
　　　a.　ゆっく　　ら
　　　b.　ゆっく　　り
　　　c.　ゆっく　　る
　　　d.　ゆっく　　れ

のように活用しません。また、「い」で終わっていません。したがって、
「ゆっくり」は、形容詞ではありません。(4) の表によれば、「活用しない、
修飾語になる、連用修飾語になる」という性質を持っているので、「副詞」
です。「?」と思われた方の気持ちは、以下のようではないかと思います。

(10)　「美しく」も「ゆっくり」も、動詞「走る」を修飾している。しか
　　　しながら、「美しく」は、形容詞で、「ゆっくり」は、副詞だ。動
　　　詞の直前に置かれ、その動詞を修飾するという同じ環境（場所）

に現れているのに、片方は、形容詞で、もう片方は、副詞である。「？」

　同様のことが、「形容動詞」にも当てはまります。国語の教科書においては、いったい何が形容動詞なのか確認しておきたいと思います。実は、(3) そのものです。

　　(3)　形容動詞の活用
　　　　a.　静か　だろう　　　　　未然形
　　　　b.　静か　に・で・だっ　　連用形
　　　　c.　静か　だ　　　　　　　終止形
　　　　d.　静か　な時　　　　　　連体形
　　　　e.　静か　ならば　　　　　仮定形

形容動詞「静か」は、「だにだなな」と活用し、「だ」で終わり、かつ、(11)で示すように、述語になれるからです。

　　(11)　彼は、静かだ。

さらに、「静か」は、活用し、連用形として、述語を修飾することもできます。(12) の例です。

　　(12)　彼は、静かに話す。

(12) において、「静かに」は、形容動詞「静か」の連用形であるので、その品詞は、「形容動詞」のままです。再度、「？」と感じられた方がいるかもしれません。そんな方のために、(13) の例を見てみましょう。

　　(13)　彼は、ゆっくり話す。

「ゆっくり」って何だ？ (9) で見たように、(4) の表によれば、「活用しない、修飾語になる、連用修飾語になる」という性質を持っているので、

「副詞」です。「？」と思われた方の気持ちは、以下のようではないかと思います。

> (14) 「静かに」も「ゆっくり」も、動詞「話す」を修飾している。しかしながら、「静かに」は、形容動詞で、「ゆっくり」は、副詞だ。動詞の直前に置かれ、その動詞を修飾するという同じ環境（場所）に現れているのに、片方は、形容動詞で、もう片方は、副詞である。「？」

(10) と (14) を感じてしまった方は、こんなことを言い出すかもしれません。

> (15) 活用って、そんなに大事なの？

これに対する解答は、私にはわかりません。ただし、ものごとを分類する際に、同じ性質のものなら、同じ環境に現れるだろうと想定している方は、(16) のように答えるかもしれません。

> (16) 環境って、大事じゃないの？

環境によって、分類をすることに好意的である方にとっては、(4) における「連体詞」に含まれる一定の要素について、また再び「？」が点灯してしまいそうです。甲斐ほか (2021a, p. 249) と相澤ほか (2021a, p. 264) には、(17) の語は、形容詞・形容動詞ではなく、「連体詞」であると書かれています。

> (17) 大きな

「大きな」は、「大きい」とは異なり、「い」で終わっていません。ですから、形容詞ではありません。また、「静か (な)」とは異なり、「だ」を伴って、述語になることができません。つまり、「大きな」は、活用ができないというわけです。ですから、形容動詞でもありません。

(18) *彼は、大きだ。

　　　（意図された意味は、'彼は、大きい。'）

このことから、「大きな」は、形容詞でもなく、形容動詞でもなく、「連体詞」であるということになります。

　しかしながら、「大きな」は、(19) の例のように、他の形容詞や形容動詞とともに、「名詞」を修飾することができます。

(19) a.　美しい馬

　　　b.　静かな馬

　　　c.　大きい馬

　　　d.　大きな馬

実際、「大きな」と似たようなタイプの「連体詞」の数は、かなり限定されています。主なものは、以下の通りです。

(20)　大きな、小さな、おかしな

「いろんな」も連体詞に含まれるということもあるようですが、実際は、「いろいろな」が縮まって形成されているようで（森岡ほか (1994, p. 119)）、もしそうであるなら、形容動詞として、(21) に示されるように、名詞の修飾語にも、また、述語にもなることができます。

(21) a.　いろいろな学生

　　　b.　学生は、いろいろだ。

もし、連体詞「大きな、小さな、おかしな」が、形容詞「大きい、小さい、おかしい」とほぼ同じ性質を持っており、名詞を修飾する時だけ、「な」で終わるが、その他の活用は、すべて、形容詞「大きい、小さい、おかしい」と同じであると仮定すれば、もはや「形容詞」と呼んでも、それほど大きな問題にはならないと思います。むしろ、「大きな、小さな、おかし

130

な」を「連体詞」と呼び続けると、「？」と感じる方の数を増やしてしまいそうです。

　これまでのところをまとめてみます。品詞を決定する上で、「その品詞が活用するかどうか」を前面に出すと、「その品詞が現れる環境（場所）」が混沌としてしまいます。

　さらに、品詞が活用するのは、日本語だけではありません。英語においても、動詞も形容詞も活用します。(22) は、動詞の例です。

(22) a. Shohei is going to <u>play</u> baseball.（原形）
　　　　'翔平は野球をするつもりだ。'

　　 b. Shohei <u>plays</u> baseball.（現在形）
　　　　'翔平は野球をする。'

　　 c. Shohei <u>played</u> baseball.（過去形）
　　　　'翔平は野球をした。'

　　 d. Shohei is <u>playing</u> baseball.（現在進行形）
　　　　'翔平は野球をしている。'

　　 e. Shohei has <u>played</u> baseball.（現在完了形）
　　　　'翔平は野球をしたことがある。'

動詞は、時制（現在・過去）や相（進行・完了）などによって「活用」します。

　(23) は、日本語の「形容詞」に当たる語の例です。

(23) a. This horse is beautiful.
　　　　'この馬は、美しい。'

　　 b. This horse runs beautifully.
　　　　'この馬は、美しく走る。'

(24) は、日本語の「形容動詞」に当たる語の例です。

(24) a.　He is quiet.

　　　　'彼は静かだ。'

　　 b.　He speaks quietly.

　　　　'彼は静かに話す。'

ともに、-ly が現れたり、現れなかったりと、活用しています。実際は、
-ly が付けば、副詞、-ly が付かなければ、形容詞として機能しています。

　韓国語も、述語が活用します。以下では、形容詞の例だけ見てみます。
以下の例は、高麗大学英語英文学部の Jeong-Seok Kim 氏に提供してい
ただきました。

(25) a.　I　　mal-un　alumtap-ta.

　　　　この　馬-は　　美し-平叙文語尾

　　　　'この馬は、美しい。'

　　 b.　alumta-un　　　　 mal

　　　　美し-形容詞語尾　馬

　　　　'美しい馬'

　　 c.　I　　mal-un　alumtap-key　　dali-nta.

　　　　この　馬-は　　美し-副詞語尾　走る-平叙文語尾

　　　　'この馬は、美しく走る。'

(25a) は、形容詞 alumtap '美し' が、平叙文語尾とともに現れている例
です。(25b) は、名詞を修飾する例で、形容詞語尾の -un が現れていま
す。(25c) は、動詞を修飾する例で、副詞語尾の -key が現れています。

　さて、ここで重要なのは、韓国の高校では、国語（韓国語）の時間に、
(25a) の形容詞 alumtap '美し' が (25c) のように、動詞を修飾する場合、
何と教えられているかということです。韓国の高校では、(25c) の alum-
tap-key '美し-副詞語尾' は、「副詞」と教えられています。しっかり「活
用」しているにもかかわらず。

では、ここで、日本の中学校の英語の教科書において、日本語において
「形容詞」に分類されている品詞は、どのような品詞として記述されてい
るか見てみましょう。以下の例を見てください。実際には、中学で学ぶ副
詞の数は、かなり限定されています。

(26) a. effective 形容詞 効果的な　　　　（笠島ほか (2021c, p. 131)）
　　　 Making a law is the most effective way.

　　　　　　　　　　　　　　　　　　（笠島ほか (2021c, p. 45)）
　　　 ‘法律を作ることが最も効果的な方法だ。’
　　 b. effectively 副詞 効果的に　　　　（笠島ほか (2021b, p. 141)）
　　　 It's important to use AI effectively.

　　　　　　　　　　　　　　　　　　（笠島ほか (2021b, p. 42)）
　　　 ‘人工知能を効果的に使うことが重要だ。’

(27) a. easy 形容詞 やさしい　　　　　（根岸ほか (2021a, 付録 p. 21)）
　　　 Japanese is not easy.
　　　 ‘日本語は、やさしくない。’　　　（根岸ほか (2021a, p. 51)）
　　 b. easily 副詞 わけなく　　　　　（根岸ほか (2021c, 付録 p. 30)）
　　　 a new product that you can use easily
　　　 ‘わけなく使える新製品’　　　　（根岸ほか (2021c, p. 127)）

(26a) の effective「効果的な」は、中学国語教科書であれば、「形容動詞」
と習います。それが、中学英語教科書になると、「形容詞」と習います。
(26b) の effectively「効果的に」は、中学国語教科書であれば、「形容動
詞」と習います。それが、中学英語教科書になると、「副詞」と習います。
なんだか、難しいことが起きています。(27a) の easy「やさしい」は、中
学国語教科書であれば、「形容詞」と習います。そして、中学英語教科書
においても同様に「形容詞」と習います。(27b) の easily「わけなく」は、
中学国語教科書であれば、「わけない」の活用形の一つであるので、「形容

詞」と習います。それが、中学英語教科書になると、「副詞」と習います。
再び、なんだか、難しいことが起きています。

　問題点を簡単にまとめると、日本の中学においては、(i) 国語の時間に、
英語では「副詞」と学ぶものを「形容詞」と学び、(ii) 英語の時間に、国
語では、「形容動詞」と学ぶものを「形容詞」と学ぶということです。で
は、この2点をなんとかして、中学生が困らないようにするには、どう
したらいいでしょうか？以下は、数ある提案の中の一つです。

(28) a. 「活用」の代わりに、「環境」を重視してみる。
　　　 i. 名詞を修飾する環境に現れる、国語で習う「形容詞」を「形
　　　　　容詞」と呼ぶ。
　　　 ii. 述語を修飾する環境に現れる、国語で習う「形容詞」を「副
　　　　　詞」と呼ぶ。
　　 b. さらに「環境」にいいように、日本語の「形容詞」と「形容動
　　　　詞」をともに、形容詞にまとめる。
　　　 i. 名詞に付いて「い」で終わる方を「い形容詞」と呼ぶ。
　　　 ii. 名詞に付いて「な」で終わる方を「な形容詞」と呼ぶ。

実際、(28a) は、日本語学において、髙橋 (2005) が主張しています。
(28b) は、すでに三上 (1953) で提示され、髙橋 (2005) も、この考えを
継承しています。さらに、アメリカの日本語教育で使用されている教科書
(例えば、Tohsaku (1999)) でも、日本語の「形容詞」と「形容動詞」は、
「い形容詞」と「な形容詞」と記述されています。

　そして、(28) の提案は、さらに、「大きな」が、形容詞「大きい」とは
全く異なり、「連体詞」であるという高度な品詞分類の問題も、「大きな」
と「大きい」が名詞修飾語として出現する環境が同じであることから、形
容詞であると統一することで、解決できる可能性があります。

　本章の内容をまとめます。日本の中学においては、(i) 国語の時間に、
英語では「副詞」と学ぶものを「形容詞」と学び、(ii) 英語の時間に、国

語では「形容動詞」と学ぶものを「形容詞」と学びます。本章では、中学生が困らないように、一つの可能性として、(28) を提示しました。

7章　カメレオン発見テスト

言いたいこと：**んだってテスト・のはテスト・にヘテスト・数字テスト**

　本書では、主語ってなんだ？目的語ってなんだ？について、見てきました。そして、主語も目的語も、カメレオンのように、状況に応じて、色を変えることがわかってきました。その際、なるべく客観的に、主語と目的語について話すために、主語と目的語を見つけるテスト（カメレオン発見テスト）を行ってきました。
本章では、それらのテストをまとめておきたいと思います。今後、言語学を始めてみようかなという方や、なんなら、国語の教科書を書いてしまおうかなという方にとって、便利であるように。

　以下では、次のテストについてまとめておきたいと思います。

　　(1)　カメレオン発見テスト
　　　　a.　んだってテスト
　　　　b.　のはテスト
　　　　c.　にヘテスト
　　　　d.　数字テスト

まずは、「んだってテスト」。

(2)　んだってテスト　必要語を見つける

「んだってテスト」は、すべてのテストの中で、最も重要なテストです。これは、脳の中の辞書に、自分が相談するテストです。脳の中の辞書っていったいなんだ？　実は、ほぼ、書店に並んでいる辞書と同じことです。ある語を辞書で引けば、その語の品詞がまず書いてあります。そして、その語を使った例文まで書いてくれています。詳しい辞書なら、動詞なら、自動詞・他動詞の区別まで書いてくれています。

　何度も見ていますが、もう一度。例えば、動詞「食べる」を例として。「食べたんだって」と聞けば、必ず、食べた人と、食べられたもののことが気になります。そしてに、この気になったことに対応する語が、必要語です。この動詞にとって、なくてはならないものです。ですから、

(3)　動詞
　　　食べる

(4)　必要語
　　　a.　「食べる人」を表す語
　　　b.　「食べられるもの」を表す語

となります。(5) の例では、

(5)　翔平が　おにぎりを　食べた。

では、動詞「食べた」の必要語は、「翔平が」と「おにぎりを」です。これらは、絶対必要な語ですから、以下の例のように、削除できません。

(6) *翔平が　食べた。

(7) *おにぎりを　食べた。

(8) *食べた。

それに対して、(9) の文においては、

> (9)　翔平が、今日、バッターボックスで　お
> 　　　にぎりを　食べた。

「食べたんだって」と聞いて、いきなり、「いつ？」
とか「どこで？」と聞き返す人はかなり稀である
ことから、「今日」と「バッターボックスで」は、
必要語であるとは言えません。これらは、付け足
し語と言います。

　「んだってテスト」だけでは、どの語が主語か目的語かわかりません。
主語と目的語を見分けるためには、その定義 (10) と (11) の中の「のは
テスト」を知らなければならないからです。

(10)　主語
　　a.　文（単文・埋め込み文・付け足し文）の中で、必要語が一つし
　　　　かない時、その必要語を主語と呼ぼう。
　　b.　文（単文・埋め込み文・付け足し文）の中で、必要語が二つ以
　　　　上ある時、その必要語に付いている助詞が、「のはテスト」に
　　　　よって、「が」に置き換えられる必要語を主語と呼ぼう。
　　c.　ただし、複数の必要語に「が」が付けられる場合は、述語の内
　　　　容を「する」方と「される」方のうち、する方を主語と呼ぼう。

(11)　目的語
　　a.　文（単文・埋め込み文・付け足し文）の中で、必要語が二つ以
　　　　上ある時、その必要語に付いている助詞が、「のはテスト」に
　　　　よって、「が」に置き換えられる必要語を主語と呼ぼう。
　　b.　主語と「方向・場所」の「に」以外の必要語を目的語と呼ぼう。
　　c.　ただし、複数の必要語に「が」が付けられる場合は、述語の内
　　　　容を「する」方と「される」方のうち、される方を目的語と呼

ぼう。

では、「のはテスト」ってなんだ？

(12)　のはテスト　主語を見つける

例えば、(13) のような文において、

(13)　翔平が　ホームランを　打った。

「翔平」が聞き手にとって、まったく知らない人であれば、ちょっと唐突な感じがします。一方、(14) のような文においては、

(14)　翔平は　ホームランを　打った。

「翔平」は、(14) が話される前に、すでに、その話の中で話題となっているんだなと感じられます。すでにみんなが知っている人物だということです。そこで、(13) の「翔平」の唐突感や、(14) の「翔平」の既出感をなるべく排除して、単純に、(13) と (14) の文の、何にも影響を受けていない状況を見るために、「のは」を使うのです。具体的には、

(15)　[翔平が　ホームランを　打った] のは、本当だ。

の [...] の部分、つまり、「のは」の前に置かれている部分は、「翔平」に関しての唐突感や既出感がほぼ感じられません。
　これが、「のはテスト」です。「のはテスト」は、(15) のように、[...] の中に文全体が含まれていてもいいし、(16) のように、[...] の一部が、「のは」の後ろに置かれてもかまいません。

(16)　[翔平が打った] のは、ホームランだ。

(15) にしても、(16) にしても、[...] における「翔平が」の部分には、ほぼ唐突感や既出感がないからです。

　この唐突感・既出感を、「のはテスト」によって排除した上で、はじめ
て、主語を探すことができるようになります。主語の定義 (10b) をより
正確に言えば、

(10)　主語
　　　b.　文 (単文・埋め込み文・付け足し文) の中で、必要語が二つ以
　　　　　上ある時、その必要語に付いている助詞が、「のはテスト」に
　　　　　よって、「が」に置き換えられる必要語を主語と呼ぼう。

「のはテスト」の結果できあがってきた文の必要語に、「が」を付けてみて、
その結果が、日本語として問題なければ、それが「主語」だということで
す。(16) は、「翔平」に「が」を付けてみて、結果的に、同じ (16) にな
り、(16) は、全く問題ない日本語の文であるので、「翔平が」が主語とな
ります。一方、(17) を「のはテスト」で作った場合、

(17)　[ホームランを打った] のは、翔平だ。

(17) の「ホームラン」に「が」を付けてみると、

(18)　*[ホームランが打った] のは、翔平だ。

さっぱりダメな文ですから、「ホームラン」は、この文の主語ではないこ
とがわかります。
　続いて、「にヘテスト」を見てみましょう。

(19)　にヘテスト　目的語を見つける (方向の後置詞「に」と目的語の
　　　「に」を区別する)

「にヘテスト」は、方向を示す助詞 (後置詞) の「に」と目的語の「に」を
区別するテストです。方向を示す後置詞句も、「に」が付いた目的語も、
それがともに現れる述語の必要語です。以下の例を見てください。

(20)　翔平は、シアトルに行った。

(21)　翔平は、イチローに会った。

(20) も (21) も、それぞれ、「シアトルに」、「イチローに」がなければ、日本語として非文です。したがって、これらは、必要語です。この必要語に、区別が必要かどうか。必要ないと考える方には、必要ありませんが、必要だと考える方には、「にへテスト」が決定打となります。ともに、「に」を「へ」に変えてみましょう。

(22)　翔平は、シアトルへ行った。

(23)　*翔平は、イチローへ会った。

(23) は、さっぱりおかしな日本語です。そこで、「にへテスト」によって、「に」を「へ」に変えて非文になる場合、そちらの「に」が付いた語を、目的語と呼ぼうと決めたわけです。一方、「に」でも「へ」でも文法性が変わらない場合は、その「に」が付いた語は、方向を示す後置詞句と呼ぼうと思います。つまり、方向を示す後置詞句は、目的語ではないということです。このように、「にへテスト」によって、動詞の目的語と非目的語を区別することができます。

　最後に、「数字テスト」を見てみましょう。

(24)　数字テスト　主語・目的語とそれ以外を区別する

「数字テスト」は、数字を右方向に移動させることで、その数字が最初についていた名詞が、主語・目的語か、それ以外かを区別するテストです。以下の例を見てください。

(25)　コーチが　翔平を　褒めた。

(26)　イチローが　コーチを　褒めた。

(27)　イチローが　コーチに　会った。

(28)　翔平が　コーチによって　褒められた。

(25)–(28) において、「コーチ」は、それぞれ、主語、目的語、目的語、付け足し語になっています。(28) における「コーチによって」は、(10) と (11) の主語と目的語の定義に当てはまらないので、付け足し語です。さて、(25)–(28) において、コーチが3人いたと仮定してみましょう。

(29)　3人のコーチが　翔平を　褒めた。

(30)　イチローが　3人のコーチを　褒めた。

(31)　イチローが　3人のコーチに　会った。

(32)　翔平が　3人のコーチによって　褒められた。

さあ、ここで、「数字テスト」です。「3人」が、今、名詞の左側にいますが、これを右側に移動したら、どうなるでしょうか？

(33)　コーチが　3人　翔平を　褒めた。

(34)　イチローが　コーチを　3人　褒めた。

(35)　イチローが　コーチに　3人　会った。

(36) *翔平が　コーチによって　3人　褒められた。

(33)–(35) は、普通にありうる日本語の文ですが、(36) は、それらと比べると逸脱しているように聞こえます。もしこの差が明確であるなら、数字テストは、数字が移動できるかどうかによって、主語・目的語と付け足し語を区別することができるということになります。

　また、国語の教科書に従えば、形容詞が、活用によって、副詞の位置にも出られることから、形容詞もある意味カメレオン的であると言えるかも

しれません。仮に、出現できる環境によって、それが形容詞であるかどう
か決定するということになれば、環境テストも、一つのカメレオン発見テ
ストであると言えるかもしれません。

(37)　環境テスト　形容詞と副詞を区別する

次の例を見てみましょう。

(38)　美しい走り

(39)　翔平の走りは、美しい。

(40)　翔平は、美しく走る。

国語の教科書では、「美しい」は、形容詞、「美しく」も形容詞であるとさ
れています。これは、「美しい」が活用をするからです。(38)-(40) の例
は、すべて「美しい」という形容詞を含んでいることになります。(38)
は、名詞「走り」を修飾する形容詞、(39) は、述語としての形容詞、(40)
は、動詞「走る」を修飾する形容詞です。ところが、すべて形容詞であれ
ば、それは、副詞とは異なるので、副詞は、その同じ場所に現れることが
できません。副詞の例として、(41) を見てみましょう。副詞の一つの機
能は、述語を修飾することです。

(41)　翔平は、とっとと走る。

(41) の「とっとと」は、ベンチの指示に従うことなく、自分の意志で走
るという場合に、最適の副詞です。「とっとと」は、「美しい」のように活
用しないので、国語の教科書においても形容詞ではなく、副詞です。で
は、この副詞「とっとと」が、「美しい」の環境（場所）に現れたら、どう
なるでしょうか？

(42) *とっとと走り

(43)　*翔平の走りは、とっとと。

(41)　翔平は、とっとと走る。

副詞「とっとと」は、動詞を修飾する環境（場所）にしか現れることができません。となると、環境テストとは、

(44)　[…] 走り

(45)　翔平の走りは、[…]。

(46)　翔平は、[…] 走る。

において、(44) と (45) の […] に現れるのが、形容詞、(46) の […] に現れるのが、副詞であると、判断してくれます。環境を見れば、目の前の語の品詞が、すぐにわかるというわけです。

　もちろん、名詞か名詞でないかも、環境テストで明らかにできます。例えば、

(47)　イチローが　翔平を　褒めた。

において、

(48)　[…] が　[…] を　褒めた。

における […] に現れるものが名詞であることを教えてくれます。名詞以外の品詞を入れてみれば、明らかに、わけのわからない文になってしまいます。

(49)　*[とっとと] が　[美しい] を　褒めた。

これによって、「とっとと」と「美しい」は、名詞ではないことがはっきりわかります。

　そうなると、環境テストの適用範囲は、(37) より広いものになります。

(37) 環境テスト　形容詞と副詞を区別する

(50) 環境テスト
  a.　形容詞と副詞を区別する
  b.　名詞とそれ以外を区別する

実際に、(50) の中身は、他の品詞にも当てはまることから、(50) は、さらに一般化できます。

(51) 環境テスト　品詞を区別する

　まとめます。主語・目的語や品詞などの言葉の「カメレオン」を発見するには、以下のテストが効果的です。

(52) カメレオン発見テスト
  a.　んだってテスト
  b.　のはテスト
  c.　にヘテスト
  d.　数字テスト
  e.　環境テスト

これらのテストは、まるで、言語の世界のリトマス紙として機能しているようです。2秒で、与えられた語の機能を教えてくれるという点で。

　リトマス紙と言えば、牧 (2018) が開発した最少英語テスト (The Minimal English Test (MET)) も、5分で英語学習者の英語能力を測定できるという点で、英語教育におけるリトマス紙だと言われています。しかし、カメレオン発見テストは、2秒ですから、これを超えるリトマス紙は、なかなか見つからないかもしれません。

8章 おわりに

言いたいこと：混乱を減らすために

　本書では、カメレオン発見テストを
使いながら、主語・目的語は、いった
いどのようなものであるか見てきまし
た。繰り返し述べますが、文において
最も重要なのは、述語と必要語で、主
語・目的語は、必要語がわかった上

で、初めてわかるものですから、「主語・目的語」という用語がなくても、
なんとかなるかもしれません。ただし、必要語の中身を区別する上では、
これらの用語は、便利な道具となります。

　さて、何度も述べているように、主語・目的語は、カメレオンのように
色を変えてきます。助詞「が・を・の・に」すべてが、名詞に付けば、主
語・目的語となりえます。そこで、なるべく、子供たちにも、そして、義
務教育を終えた方々にも、文の要素を特定する上で、混乱を少なくするこ
とができれば、それに越したことはありません。以下では、思い切って、
2点ほど、混乱減少作戦の一環として、提案したいと思います。その2点
は、

(1) 修飾語という用語の定義に関して
   義務教育国語教科書においては、修飾語は、必要語である目的語と必要語ではない付け足し語をともに含むが、修飾語の定義を、付け足し語だけにすること。

(2) 活用に基づく品詞の定義に関して
   義務教育国語教科書においては、品詞の分類のために、その品詞が活用するかどうかが決定的要因となっているが、活用を前面に出さず、その品詞が現れる環境を決定的要因にすること。

 まずは、(1) から見ていきたいと思います。(3) の例で考えましょう。

(3) 翔平が、今日、バッターボックスで　おにぎりを　食べた。

義務教育国語の教科書において、また、(1) の定義において、修飾語・必要語 (目的語) は、以下のようになります。

(4) 修飾語・必要語 (目的語) の違い

	義務教育国語教科書	(1) の定義
今日	修飾語	修飾語
バッターボックスで	修飾語	修飾語
おにぎりを	修飾語	必要語 (目的語)

(1) の定義では、「おにぎりを」は、絶対に「食べた」にとって必要な要素であることから、必要語であり、目的語でもあります。これは、「んだってテスト」で、明確になります。
 また、「おにぎりを」が目的語であると義務教育国語教科書で明示すれば、同じ学生が、中学英語教科書で、同じ「おにぎりを」に出くわした時に、それが、英語では目的語で、日本語では、修飾語であるという、なかなか難しい説明を見る必要がなくなり、困難が少し減るように見えます。
 続いて、(2) を見てみましょう。(5) と (6) の例で考えましょう。

(5)　翔平の走りは、美しい。

(6)　翔平は、美しく走る。

義務教育国語の教科書において、また、(2) の定義において、「美しい」と「美しく」の品詞は、以下のようになります。

(7)　活用・環境による違い

	義務教育国語教科書	(2) の定義
美しい	形容詞	形容詞
美しく	形容詞	副詞

(2) の定義では、「美しい」は、述語になることから、形容詞であり、「美しく」は、動詞を修飾する要素であることから、副詞です。環境によって品詞を決定すれば、「美しく」も、(8) の「とっとと」も、ともに動詞を修飾しているので、一貫して副詞だと、誰にとっても簡単に言えるようになります。

(8)　翔平は、とっとと走る。

　また、「美しく」が副詞であると義務教育国語教科書で明示すれば、同じ学生が、中学英語教科書で、同じ意味を持つ beautifully に出くわした時に、それが、英語では副詞で、日本語では、形容詞であるという、なかなか難しい説明を見る必要がなくなり、再度、困難が少し減るように見えます。

　もし、「美しい」を形容詞、「美しく」を副詞と分類するとなると、品詞分類の基準から、「活用」を横においておく必要が出てきます。「活用」が基準として残ったままであれば、「美しく」が形容詞に分類されてしまうからです。となると、(9) の品詞分類表から、「活用」を取り除くことになります。すると、(10) が現れます。

148

(9)　品詞分類表

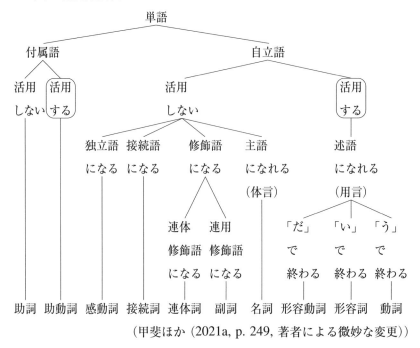

（甲斐ほか（2021a, p. 249, 著者による微妙な変更））

(10)　品詞分類表

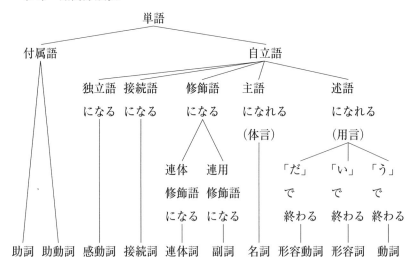

そして、形容詞と形容動詞を「形容詞」として統合し、もっとも簡略化すると、(11) のようになります。

(11)　品詞分類表

(11) は、実際、系統図にする必要はなく、(12) と同じことです。

(12)　品詞（日本語）

 a.　動詞

 b.　形容詞

 c.　名詞

 d.　副詞

 e.　連体詞

 f.　接続詞

 g.　感動詞

 h.　助動詞

 i.　助詞

おもしろいことに、中学 1 年から 3 年の英語では、(13) にリストした品詞を学びます。その際、(9)–(11) に見られる分岐図は、使用されていません。

(13)　品詞（英語）

 a.　冠詞

 b.　名詞

 c.　代名詞

 d.　動詞

 e.　助動詞

f.　形容詞

g.　副詞

h.　前置詞

i.　接続詞

j.　間投詞

(12) と (13) は、各言語において、存在する品詞は、ある程度異なるものの、その言語に存在する品詞を列挙しているだけです。

　再度、同じ中学生が、国語と英語の品詞を学ぶ際に、(12) と (13) が与えられた方が理解しやすいか、あるいは、(9)–(11) と (13) が与えられた方が理解しやすいか、問い直してみる価値はありそうです。

　そして、現時点での国語と英語の教科書において、同じような文法項目を示すのに、異なる用語や異なる分岐図が使用されていることから、今後の教科書作成の作業は、教科を横断して、国語の専門家と英語の専門家が、共同で行うことも価値があるように見えます。何と言っても、言語教育の目標は、学生が、迷うことなく、国語と英語の文法のエッセンスを内在化することであるので。

参考文献

相澤秀夫ほか 77 名（2021a）『新しい国語 1』東京書籍，東京.

相澤秀夫ほか 77 名（2021b）『新しい国語 2』東京書籍，東京.

相澤秀夫ほか 77 名（2021c）『新しい国語 3』東京書籍，東京.

安藤宏ほか 11 名（2019）『精選国語総合古典編改訂版』筑摩書房，東京.

庵功雄（2003）『『象は鼻が長い』入門――日本語学の父三上章』くろしお出版，東京.

Chomsky, Noam（1965）*Aspects of the Theory of Syntax*, MIT Press, Cambridge, MA.

原田信一（1973）「構文と意味」『月刊言語』2 月号，82-90.

甲斐睦朗ほか 27 名（2016）『国語 1』光村図書，東京.

甲斐睦朗ほか 41 名（2017a）『こくご二下』光村図書，東京.

甲斐睦朗ほか 27 名（2017b）『国語 2』光村図書，東京.

甲斐睦朗ほか 41 名（2018a）『こくご三下』光村図書，東京.

甲斐睦朗ほか 27 名（2018b）『国語 3』光村図書，東京.

甲斐睦朗ほか 29 名（2021a）『国語 1』光村図書，東京.

甲斐睦朗ほか 29 名（2021b）『国語 2』光村図書，東京.

甲斐睦朗ほか 29 名（2021c）『国語 3』光村図書，東京.

笠島準一ほか 44 名（2002a）*New Horizon English Course 1*, 東京書籍，東京.

笠島準一ほか 44 名（2002b）*New Horizon English Course 2*, 東京書籍，東京.

笠島準一ほか 44 名（2002c）*New Horizon English Course 3*, 東京書籍，東京.

笠島準一ほか 53 名（2008a）*New Horizon English Course 1*, 東京書籍，東京.

笠島準一ほか 53 名（2008b）*New Horizon English Course 2*, 東京書籍，東京.

笠島準一ほか 53 名（2008c）*New Horizon English Course 3*, 東京書籍，東京.

笠島準一ほか 129 名（2021a）*New Horizon English Course 1*, 東京書籍，東京.

笠島準一ほか 129 名（2021b）*New Horizon English Course 2*, 東京書籍，東京.

笠島準一ほか 129 名（2021c）*New Horizon English Course 3*, 東京書籍，東京.

木村靖二ほか 8 名（2020）『改訂版詳説世界史 B』山川出版，東京.

Kuno, Susumu（1973）*The Structure of the Japanese Language*, MIT Press, Cambridge, MA.

栗原一登ほか 27 名 (2001a)『国語 1』光村図書，東京.

栗原一登ほか 27 名 (2001b)『国語 2』光村図書，東京.

栗原一登ほか 27 名 (2001c)『国語 3』光村図書，東京.

Miyagawa, Shigeru (1989) *Syntax and Semantics 22: Structure and Case Marking in Japanese*, Academic Press, New York.

Miyagawa, Shigeru and Takae Tsujioka (2004) "Argument Structure and Ditransitive Verbs in Japanese," *Journal of East Asian Linguistics* 13, 1–38.

根岸雅史ほか 39 名 (2021a) *New Crown English Series New Edition 1*, 三省堂，東京.

根岸雅史ほか 39 名 (2021b) *New Crown English Series New Edition 2*, 三省堂，東京.

根岸雅史ほか 39 名 (2021c) *New Crown English Series New Edition 3*, 三省堂，東京.

中井光・大槻隆ほか 8 名 (2018)『改訂版体系漢文』数研出版，東京.

中村真子・牧秀樹 (2020)「日本・中国・韓国・米国の母国語・外国語教育における「目的語」の扱い方についての比較研究」『第 160 回日本言語学会予稿集』334–340.

浜本純逸・黒川行信 (2019)『八訂版読解を大切にする体系古典文法』数研出版，東京.

牧秀樹 (2018)『The Minimal English Test（最小英語テスト）研究』開拓社，東京.

牧秀樹 (2019)『誰でも言語学』開拓社，東京.

三角洋一ほか 9 名 (2000)『精選国語 I』東京書籍，東京.

三上章 (1953)『現代語法序説——シンタクスの試み』刀江書院，東京.（復刊 1972，くろしお出版，東京.）

三上章 (1960)『象は鼻が長い——日本文法入門』くろしお出版，東京.

三上章 (1963a)『文法教育の革新』くろしお出版，東京.

三上章 (1963b)『日本語の構文』くろしお出版，東京.

三上章 (1963c)『日本語の論理——ハとガ』くろしお出版，東京.

三上章 (1970)『文法小論集』くろしお出版，東京.

三上章 (1972a)『現代語法新説』くろしお出版，東京.

三上章 (1972b)『続・現代語法序説』くろしお出版，東京.

三上章 (2002)『構文の研究』くろしお出版，東京.

森岡健二ほか 4 名 (1994)『集英社国語辞典（横組版）』集英社，東京.

斉藤栄二ほか 34 名 (2008a) *New Crown English Series New Edition 1*, 三省堂, 東京.

斉藤栄二ほか 34 名 (2008b) *New Crown English Series New Edition 2*, 三省堂, 東京.

斉藤栄二ほか 34 名 (2008c) *New Crown English Series New Edition 3*, 三省堂, 東京.

Sadakane, Kumi and Masatoshi Koizumi (1995) "On the Nature of the "Dative" Particle *Ni* in Japanese," *Linguistics* 33, 5-33.

Saito, Mamoru (2010) "On the Scope Properties of Nominative Phrases in Japanese," *Universal and Variation: Proceedings of GLOW in Asia VII 2009*, 313-333, EFL University Press, Hyderabad.

竹林滋ほか 3 名 (2003)『新英語中辞典第 7 版』研究社, 東京.

高橋太郎 (2005)『日本語の文法』ひつじ書房, 東京.

Tohsaku, Yasuhiko (1999) *Yookoso! An Invitation to Contemporary Japanese*, McGraw-Hill, New York.

張麟声 (2001)『日本語教育のための誤用分析——中国語話者の母語干渉 20 例』スリーエーネットワーク, 東京.

索 引

著者紹介

牧　秀樹　（まき　ひでき）

　岐阜大学地域科学部シニア教授。1995 年にコネチカット大学にて博士号（言語学）を取得。研究対象は、言語学と英語教育。

　主な著書：*Essays on Irish Syntax*（共著、2011 年）、*Essays on Mongolian Syntax*（共著、2015 年）、*Essays on Irish Syntax II*（共著、2017 年）、『The Minimal English Test（最小英語テスト）研究』(2018 年)、『誰でも言語学』、『最小英語テスト（MET）ドリル』〈標準レベル：高校生から社会人〉、〈センター試験レベル〉、『中学生版 最小英語テスト（jMET）ドリル』(以上、2019 年)、「英語 monogrammar シリーズ」『関係詞』『比較』『準動詞』『助動詞・仮定法』『時制・相』『動詞』（監修、以上、2020–2021 年)、『金言版最小英語テスト（kMET）ドリル』(2020 年)、『これでも言語学―中国の中の「日本語」』、*Essays on Case*（以上、2021 年)、『それでも言語学―ヒトの言葉の意外な約束』、『最小日本語テスト（MJT）ドリル』、『最小中国語テスト（MCT）ドリル』、『最小韓国語テスト（MKT）ドリル』(以上、2022 年)、『MCT 中国語実践会話―学びなおしとステップアップ 上海出張・日本紹介』（共著、2023 年）［以上、開拓社］など。

象の鼻から言語学

──主語・目的語カメレオン説──

Ⓒ 2023 Hideki Maki
ISBN978-4-7589-2384-2　C0080

著作者	牧　秀　樹	
発行者	武 村 哲 司	
印刷所	日之出印刷株式会社	

2023 年 4 月 28 日　第 1 版第 1 刷発行

発行所　　株式会社　開 拓 社

〒 112-0013 東京都文京区音羽 1-22-16
電話　（03）5395-7101（代表）
振替　00160-8-39587
http://www.kaitakusha.co.jp

JCOPY ＜出版者著作権管理機構 委託出版物＞
本書の無断複製は、著作権法上での例外を除き禁じられています。複製される場合は、そのつど事前に、出版者著作権管理機構（電話 03-5244-5088、FAX 03-5244-5089、e-mail: info@jcopy.or.jp）の許諾を得てください。